KB172053

방탄리더사관학교

BULLETPROOF LEADER MILITARY ACADEMY

리더는 누구나 되지만
방탄 리더는 아무나 될 수 없다!

BLMA

방탄리더사관학교
BULLETPROOF LEADER MILITARY ACADEMY
1
2
3
4
5
6
7
8
9
10
방탄리더사관학교 1
방탄리더사관학교 2
방탄리더사관학교 3
방탄리더사관학교 4
방탄리더사관학교 5
방탄리더사관학교 6
방탄리더사관학교 7
방탄리더사관학교 8
방탄리더사관학교 9
방탄리더사관학교 10

만나서 반갑습니다!
좋은 일이 생길 거예요!
가슴이 설레는 만남이 아니어도 좋습니다.
가슴이 떨리는 운명적인
만남이 아니어도 좋습니다.
만남 자체가 소중하니까요!
최보규 방탄리더사관학교 창시자

방탄리더사관학교 소개

세상에는 4대 사관학교가 있다. 육군사관학교, 해군사관학교, 공군사관학교, 방탄리더사관학교가 있다. 육군사관학교, 해군사관학교, 공군사관학교는 체계적인 시스템 속에서 군인정신 학습, 연습, 훈련을 통해 정예 장교(군 리더, 군사 전문가)를 육성하는 사관학교다.

방탄리더사관학교는 체계적인 시스템 속에서 방탄 리더십 25가지 시스템 학습, 연습, 훈련을 통해 정예 리더(방탄 리더, 방탄 리더십 전문가)를 양성하는 사관학교다.

누구나 리더가 된다. 하지만 방탄 리더는 아무나 될 수 없다. 누구나 방탄 리더가 될 수 있었다면 난 절대로 방탄리더사관학교를 선택하지 않았을 것이다.

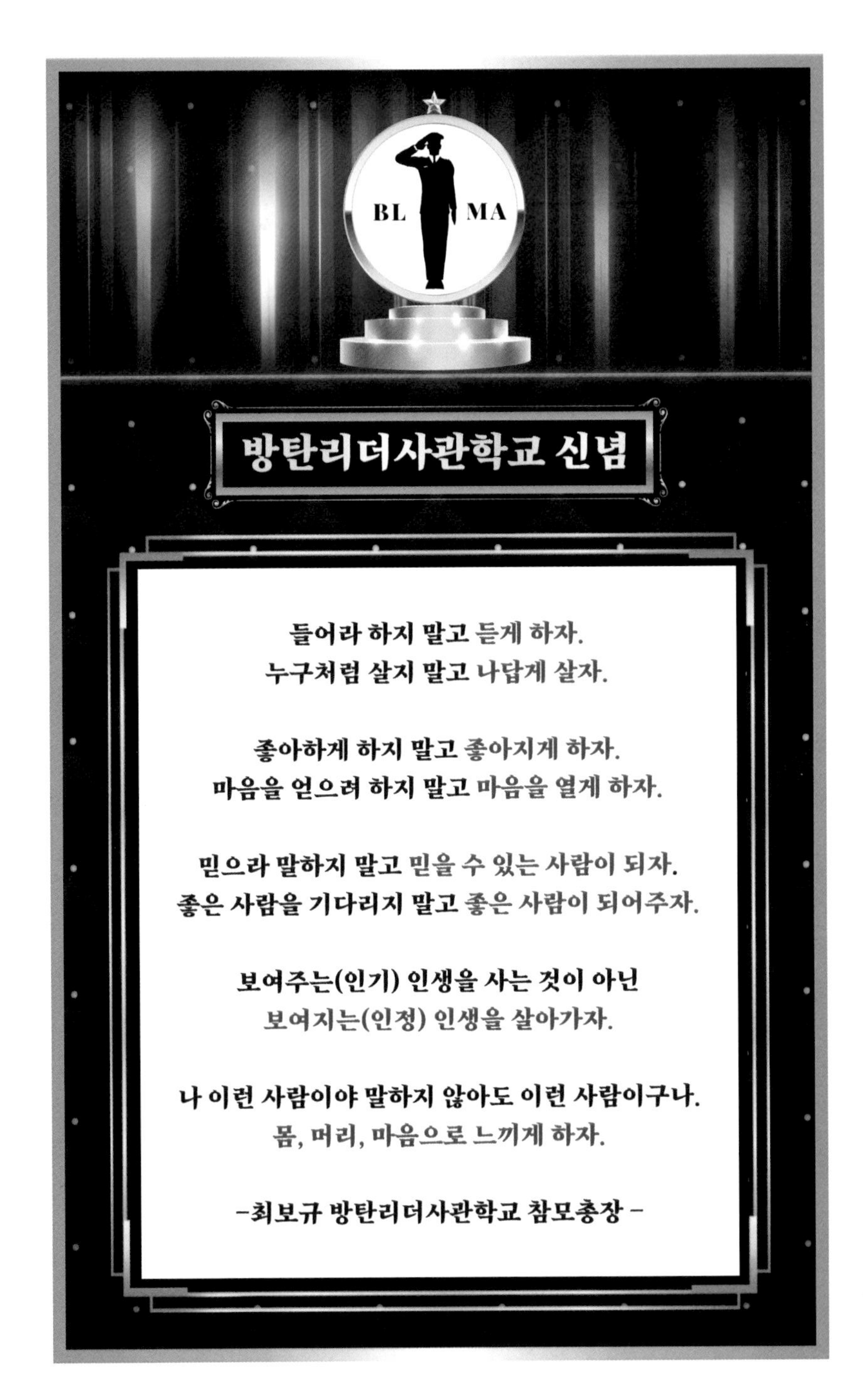
BL
MA
방탄리더사관학교 신념
들어라 하지 말고 듣게 하자.
누구처럼 살지 말고 나답게 살자.
좋아하게 하지 말고 좋아지게 하자.
마음을 얻으려 하지 말고 마음을 열게 하자.
믿으라 말하지 말고 믿을 수 있는 사람이 되자.
좋은 사람을 기다리지 말고 좋은 사람이 되어주자.
보여주는(인기) 인생을 사는 것이 아닌
보여지는(인정) 인생을 살아가자.
나 이런 사람이야 말하지 않아도 이런 사람이구나.
몸, 머리, 마음으로 느끼게 하자.
-최보규 방탄리더사관학교 참모총장 -

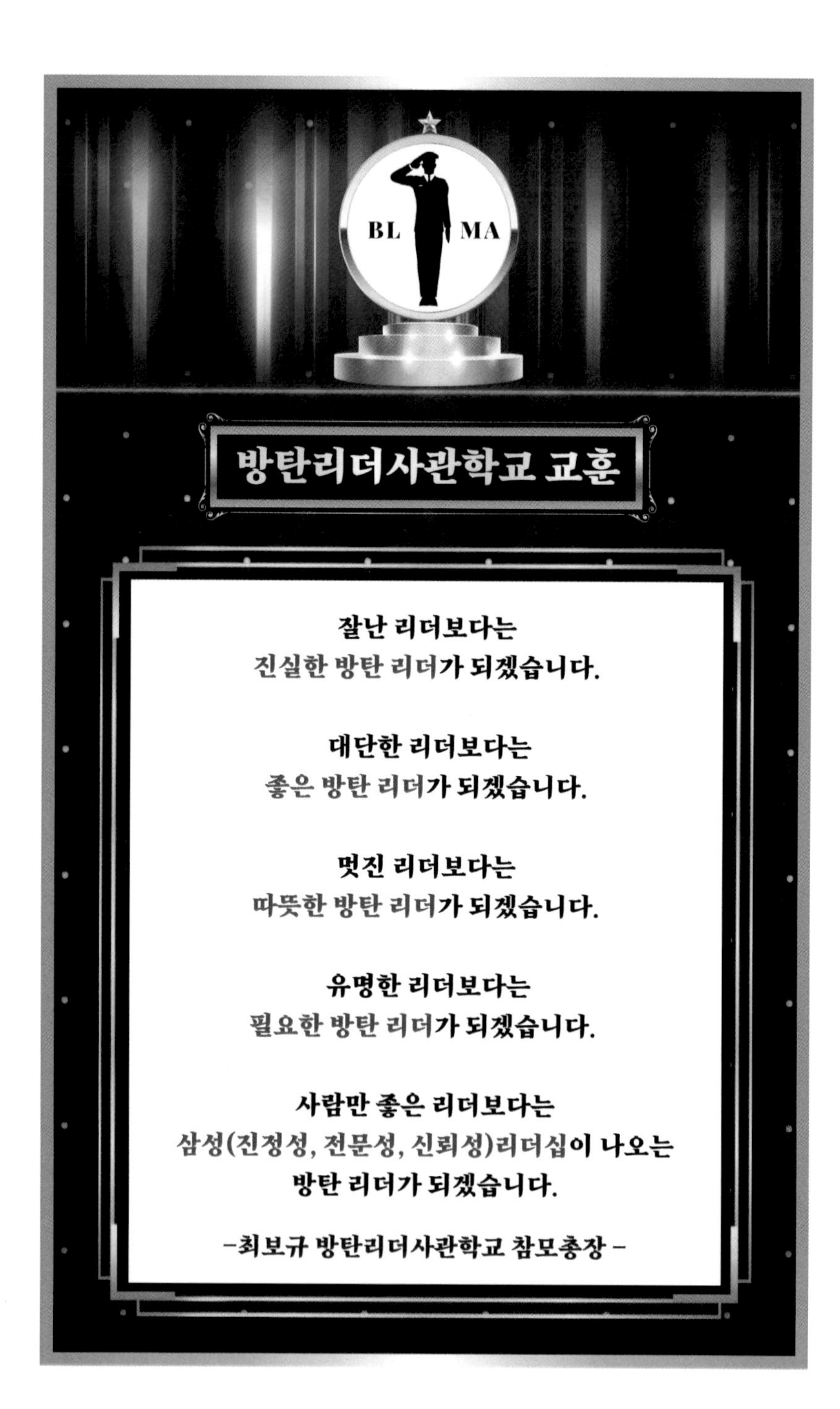
BL
MA
방탄리더사관학교 교훈
잘난 리더보다는
진실한 방탄 리더가 되겠습니다.
대단한 리더보다는
좋은 방탄 리더가 되겠습니다.
멋진 리더보다는
따뜻한 방탄 리더가 되겠습니다.
유명한 리더보다는
필요한 방탄 리더가 되겠습니다.
사람만 좋은 리더보다는
삼성(진정성, 전문성, 신뢰성)리더십이 나오는
방탄 리더가 되겠습니다.
-최보규 방탄리더사관학교 참모총장-

방탄리더사관학교 사명

"당신은 제가 좋은 사람이
되고 싶도록 만들어요."라는
마음을 들게하여
행동하게 만드는
방탄 리더가 되기 위해
솔선수범, 청출어람
하겠습니다.

-최보규 방탄리더사관학교 참모총장-

방탄리더사관학교

BULLETPROOF LEADER MILITARY ACADEMY

방탄 리더십과

리더 사명감과	리더 기본기과	리더 태도과
리더십 식스펙(PT)과	리더 감정컨트롤과	리더 인간관계과
리더 소통과	리더 스토리텔링과	리더 스피치과
리더십 은퇴 준비과	리더 천재일우과	리더 7대 의무교육과
리더 자존감과	리더 멘탈과	리더 습관과
리더 행복과	리더 자기계발, 동기부여과	리더 재테크과
리더 방탄book기술력과	리더 책 쓰기, 출간과	리더 유튜버과
리더 강사과	리더 코칭과	리더 인재양성과

★《방탄리더사관학교 1》★

Class 1. 방탄 리더십과

- 1명의 방탄 리더가 10만 명을 변화시키고 먹여 살린다. 리더는 사라져도 방탄 리더십은 1,000년 간다! 리더의 삼성(진정성, 전문성, 신뢰성)을 업그레이드!

Class 2. 리더 사명감과

- 사명감은 스펙이다. 학습, 연습, 훈련으로 만들어진다.

Class 3. 리더 기본기과

- 리더의 Body(몸) 기본기, Head(머리) 기본기, Mind(마음) 기본기. 기본기는 그림자와 같다. 평생 함께한다.

Class 4. 리더 태도과

- 세상에서 가장 강력한 태도 스펙! 태도 스펙 학습, 연습, 훈련!

Class 5. 리더십 식스팩(PT)과

- 숨만 쉬어도 근손실(근육 손실), 숨만 쉬어도 리손실(리더십 손실) 앞서가는 리더는 리더십PT를 받는다.

★《방탄리더사관학교 2》★

Class 6. 리더 감정컨트롤과

- 리더의 감정이 태도가 되면 안 된다. 감정컨트롤 학습, 연습, 훈련

Class 7. 리더 인간관계과

- 리더는 천재지변 인간관계가 아닌 천재일우 인간관계를 해야 한다.

Class 8. 리더 소통과

- 소통에 답이 있는가? 정답은 답이 아니다. 해결책도 답이 아니다. 공감만이 답이다. 공감력을 키우는 방탄 소통.

Class 9. 리더 스토리텔링과

- 리더에 스토리텔링(Storytelling)으로 함께 하는 사람을 스토리두잉(Story Doing)하게 만들어야 한다.
스토리텔링을 통해 스토리두잉(Story Doing)을 하지 않으면 스토리는 다 쓰레기 된다!

Class 10. 리더 스피치과

- Body(몸) 스피치, Head(머리) 스피치, Mind(마음) 스피치 학습, 연습, 훈련하는 방법 381가지!

Class 11. 리더 은퇴 준비과

- 평균 희망 은퇴 73세, 현실 은퇴49세 이다. 20대 은퇴 예정자? 30대 은퇴 확정자? 40대 은퇴 위험군? 은퇴십 골든타임!

★《방탄리더사관학교 3》★

Class 12. 리더 천재일우과

- 천재일우(千載一遇): 천 년에 한 번 만난다는 뜻으로 좀처럼 만나기 어려운 기회

★《방탄리더사관학교 4》★

Class 13. 리더 7대 의무교육과

- 직원은 5대 법정의무교육이 필수이고 리더는 7대 의무교육이 필수이다.

Class 14. 리더 자존감과

- 스마트폰은 쓰지 않아도 배터리가 소모되듯 리더 자존감 배터리는 숨만 쉬어도 소모된다. 리더 자존감 초고속 충전!

Class 15. 리더 멘탈과

- 리더 멘탈 7단계! 리더 순두부 멘탈, 리더 실버 멘탈, 리더 골드 멘탈, 리더 에메랄드 멘탈, 리더 다이아몬드 멘탈, 리더 블루다이아몬드 멘탈, 리더 방탄 멘탈.

★《방탄리더사관학교 5》★

Class 16. 리더 습관과

- 리더십은 이벤트가 아니라 습관이다. 리더십 습관, 꼰대십 습관

Class 17. 리더 행복과

- 리더 행복 심폐소생술! 리더 행복 초등학생, 리더 행복 중학생, 리더 행복 고등학생, 리더 행복 전문 학사, 리더 행복 학사, 리더 행복 석사, 리더 행복 박사, 리더 행복 히어로

★《방탄리더사관학교 6》★

Class 18. 리더 자기계발, 동기부여과

- 리더는 노오력 자기계발, 동기부여가 아닌 올바른 노력 자기계발, 동기부여를 해야 한다.

Class 19. 리더 재테크과

- 리더의 7가지 재테크는 선택이 아닌 필수다.

★《방탄리더사관학교 7》★

Class 20. 리더 방탄book기술력과

- 수입 창출 6가지 시스템! 100세까지 지속적인 수입을 발생시키고 100세까지 현역을 유지시켜 준다.

Class 21. 리더 책 쓰기, 출간과

- 리더 자신 분야 삼성(진정성, 전문성, 신뢰성)을 올리

는 최고의 자기계발은 책 쓰기, 책 출간이다!

★《방탄리더사관학교 8》★

Class 22. 리더 유튜버과

- 리더는 유튜브가 아닌 나튜브를 해야 한다.

★《방탄리더사관학교 9》★

Class 23. 리더 강사과(무인 시스템)

- 리더는 프로 강사처럼 말(스피치), 표정, 행동이 나와야 한다.

★《방탄리더사관학교 10》★

Class 24. 리더 코칭과

- 리더 코칭 10계명(품위유지의무), 리더의 0순위 스펙은 코칭 능력이다.

Class 25. 리더 인재 양성과

- 인재는 오는 것이 아니라 만들어지는 것이다. 인재 양성 시스템이 없으면 인재는 리더를 떠나지만 인재양성 시스템이 있으면 인재는 리더와 100년을 함께 한다.

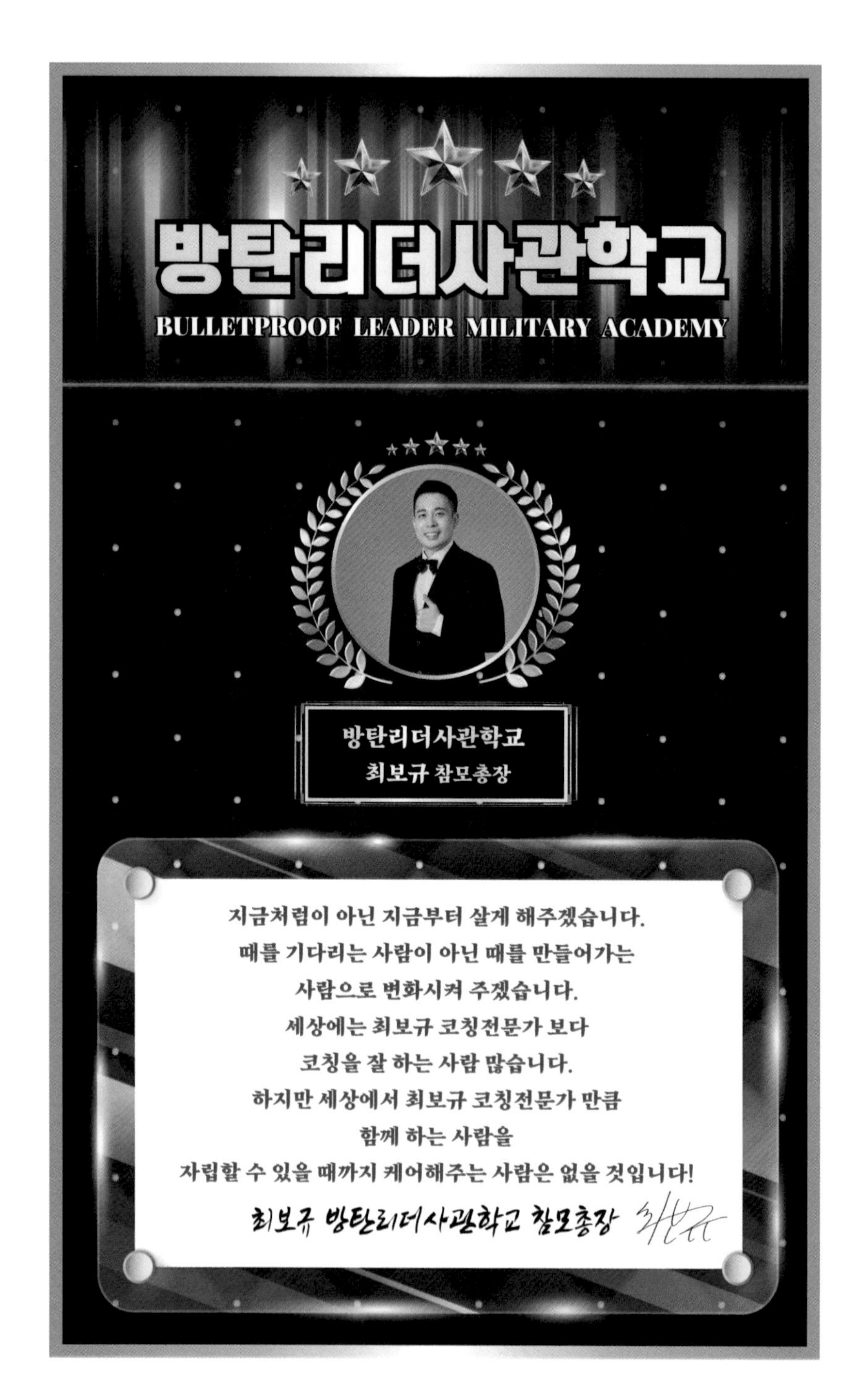
방탄리더사관학교
BULLETPROOF LEADER MILITARY ACADEMY
방탄리더사관학교
최보규 참모총장
지금처럼이 아닌 지금부터 살게 해주겠습니다.
때를 기다리는 사람이 아닌 때를 만들어가는
사람으로 변화시켜 주겠습니다.
세상에는 최보규 코칭전문가 보다
코칭을 잘 하는 사람 많습니다.
하지만 세상에서 최보규 코칭전문가 만큼
함께 하는 사람을
자립할 수 있을 때까지 케어해주는 사람은 없을 것입니다!
최보규 방탄리더사관학교 참모총장

ONLY ONE
"80억 분의 1 검증된 전문가"
특허청 등록
최보규 자기계발코칭 창시자
등록 번호: 제 40-2072344 호
최보규 대표
상담, PT, 코칭, 강의, 컨설팅 문의
010-6578-8295
특허청 등록
최보규 리더동기부여 코칭전문가
등록 번호: 제 40-2128786 호
대한민국 강사 섭외 NO1 '강사야'
'강사야' "대표 일타 강사 최보규"
GANGSAYA 강사섭외 최보규
로그인 회원가입
전체분야 강사프로필 섭외문의 분야별특강 커뮤니티 추천강사
섭외문의무료등록
최보규강사
특허청 등록으로 검증된 강사!
방탄 동기부여/리더십/자기계발
동기부여/리더십/자기계발 업데이트!
저서 100권의 내공을 통한 세계 최초 1+4를 주는 가성비 강사!
(강의메세지+즐거움+스토리텔링+실천 사용 설명서 제공)
Google 자기계발아마존
YouTube 방탄자기계발
NAVER 강사야
NAVER 최보규

명품
동기부여
명품
자기계발
최보규 대표
상담, 코칭, 강의, 컨설팅 문의
010-6578-8295
현] 방탄자기계발사관학교 창모총장
현] 강사야 대표강사
현] 자기계발아마존 CEO
현] 방탄book 출판사 대표
현] 방탄강사사관학교 코칭전문가
현] 사랑의전화 카운슬러
현] 방탄자기계발 유튜버
현] 최보규상(대한민국 노벨상)창시자

방탄
동기부여
명품
동기부여
명품
자기계발
책150권 출간
상담 17,000회
코칭 13,000회
강의 경력 6,200회
Google 자기계발아마존
YouTube 방탄자기계발
NAVER 방탄자기계발사관학교
NAVER 최보규
최보규
네이버 인물정보 등록 34만 명! (2016년 기준)
대한민국 1% 미만 "네이버 명예의 전당" 인물정보 등록!
전체
프로필
최근활동
도서
프로필
소속 방탄자기계발사관학교/방탄북(BOOK)출판사(대표)
수상 2016년 제1회 세계를 빛낸 천사상 대상
경력 방탄자기계발사관학교/방탄북(BOOK)출판사 대표
방탄자기계발사관학교 대표
2012.05~2016.06 사랑의전화 전화상담 자원봉사자
2014.11 행복사관학교 대표
사이트 유튜브, 블로그, 네이버TV, 페이스북, 공식홈페이지
작품 ★ 도서 108건, 관련활동

자기계발서 150권, 전자책 250권 출간으로
삼성(진정성, 전문성, 신뢰성)이 검증된 전문가
Google 자기계발아마존
YouTube 방탄자기계발
NAVER 방탄자기계발사관학교
NAVER 최보규

종이책 150권, 전자책 250권 총 400권 무인 콘텐츠

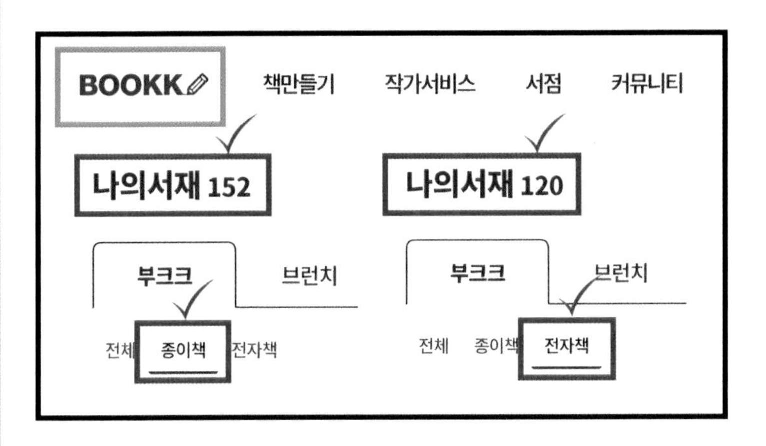

이번 생에 건물주는 힘들어도
온라인 건물주는 가능하다!
400층 온라인 건물주를 가능하게 만든 시스템!

방탄book기술력

방탄자기계발사관학교
홈페이지 무인시스템
구독하기
방 탄
자기계발
사관학교
방탄자기계발사관학교
www.방탄자기계발사관학교.com
정예 방탄자기계발 전문가를 양성하는 사관학교

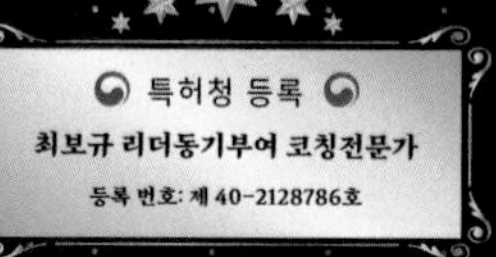

방탄자기계발사관학교

아무나 방탄자기계발전문가가 될 수 있었다면 난 절대로 방탄자기계발사관학교를 선택하지 않았을 것이다.

Google 자기계발아마존 | YouTube 방탄자기계발 | NAVER 방탄자기계발사관학교 | NAVER 최보규

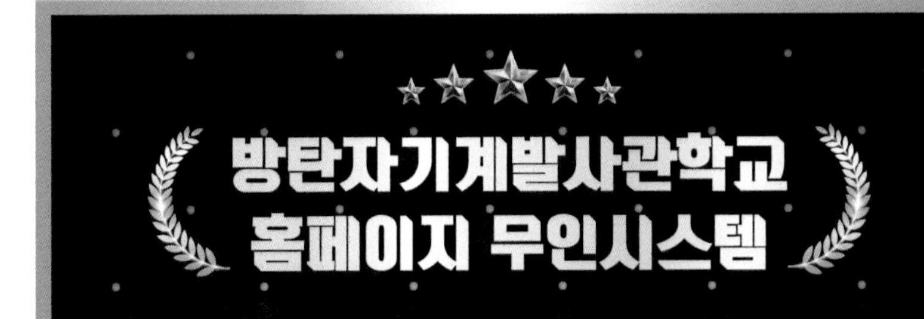

방탄자기계발사관학교 소개
1,000,000원
구매하기

PPT로 책 쓰기, 책 출간
200,000원
구매하기

자신 분야 6가지 수입을 창출 방법
200,000원
구매하기

방탄 사랑 사랑 사용 설명서 사랑도 스펙이다
200,000원
구매하기

Google 자기계발아마존 | YouTube 방탄자기계발 | NAVER 방탄자기계발사관학교 | NAVER 최보규

명품 동기부여
교육 실적
명품 자기계발
기업
삼성전자, 현대자동차, 한국전력공사, LG전자, 삼성생명보험, 포스코, GS칼텍스, SK네트웍스, 기아자동차, 현대중공업, 에쓰오일, SK에너지, 한국가스공사, LG디스플레이, GM대우, 교보생명, KT, SK텔레콤, 대한생명, LG화학, 롯데백화점, 신세계백화점, 삼성물산, 삼성화재해상보험, 오일뱅크, 대한항공, 삼성중공업, 현대모비스,하이닉스반도체, 현대제철, 대우조선해양, 한진해운, 대우건설, GS건설, 현대건설, 한국수력원자력, 효성, LG상사,현대상선, 현대해상화재보험, 대림산업, STX팬오션, LIG손해보험, LG텔레콤, 동부화재, 여천NCC, SK건설, 삼성테스코, 삼성SDI, 삼성토탈, 현대하이스코, 한국남부발전, 동국제강, 아시아나항공, 롯데건설, 포스코건설,한화, SK가스, ING생명, 위아,삼성테크윈, 대우차판매, 쌍용자동차, 제일모직, 한국서부발전, 한국동서발전,신한카드, 현대미포조선, 르노삼성자동차, 현대산업개발, GS리테일, 대우증권, 신한지주금융, 삼성전기, 현대삼호중공업, 우리투자증권, 비씨카드, 메리츠화재, 글로비스, 한화석유화학, 삼성카드, 현대증권, 로보트보쉬, 씨티클럽증권, 한독약품, 이마트, 제일기획, 리츠칼튼, 유엔젤, 삼선개발, CJ, 코오롱, 오리온, GS마켓, 종로학원, 김영사, 이토, 코엔텍, 휴스틸, 블루클럽, 한국콘베어, 디시페로 신진화학 등 2000여 대중소기업
은행
KB국민은행, 우리은행, 신한은행, 산업은행, SC제일은행, 하나은행, 기업은행, 한국외환은행, 한국씨티은행, 농협, 수협, 축협 등
관공서
금융감독원, 검찰청, 국세청, 경찰청, 법무부, 식약청, 보건복지부, 교육청, 서울시, 각 구청, 서울시, 수원시, 인천시, 안동시, 제주시, 안양시, 거제시, 상주시, 민방위교육장, 한국과학기술평가원, 보훈교육연구원, 각 지역 교육연수원, 한국교육개발원, 농업기술센터, 농업기반공사, 국립공원관리공단, 국립특수교육원, 건설교통인재개발원 한국증권업협회 등 200여개 기관
병원
서울대병원, 서울아산병원, 삼성서울병원, 연세대세브란스병원, 가톨릭대 서울성모병원, 아주대병원, 고려대안암병원, 한양대병원, 중앙대병원, 선한목자정형외과, 순천향병원, 보훈병원, 봄빛병원, 이다치과, 소리이비인후과, 영산의료법인 등
대학교 특강 (교양, 최고경영자과정, 명사특강)
서울대, 연세대, 고려대, 중앙대, 한양대, 서강대, 포스텍, 카이스트, 경희대, 인하대, 이화여대, 조선대, 안동대, 건국대, 동아대, 충주대, 대전대, 청주대, 대진대, 한국산업기술대, 금오공과대, 아주대, 경기대, 숙명여대, 동국대, 순천대, 전남대, 영남대, 경기대, 경남대, 세종대, 카톨릭대, 경북대, 부경대, 창원대, 목포대, 광주여대, 한국해양대, 세명대, 충남대, 광운대, 울산대, 국민대, 제주대, 서울시립대, 단국대, 군산대, 경성대, 대구대, 동아방송예대, 동의과학대, 백석대, 백석예술대, 폴리텍대, 인천대 등 150여개 대학교

명품 동기부여
강의 사진
명품 자기계발
600명 자자자자멘습긍 강의
(자존감, 자신감, 자기관리, 자기계발, 멘탈, 습관, 긍정)
500명 자자자자멘습긍 강의
(자존감, 자신감, 자기관리, 자기계발, 멘탈, 습관, 긍정)

최보규 방탄강사 창시자

저는 입으로 강의하지 않겠습니다.
제 삶으로 강의하겠습니다.
저는 가르치지 않겠습니다.
제 삶으로 가르치겠습니다.
최보규강사는 명강사, 스타강사가 아닙니다!
그래서 한 달에 15권 책을 보고 메모하며
강의 준비, 솔선수범 하고 있습니다!
최보규강사 보다 강의 잘하는 사람은 많습니다!
다만 최보규강사 만큼 학습자를
사랑하는 강사는 세상에 없을 것입니다!

최보규 방탄동기부여 신조

들어라 하지 말고 듣게 하자.
누구처럼 살지 말고 나답게 살자.
좋아하게 하지 말고 좋아지게 하자.
마음을 얻으려 하지 말고 마음을 열게 하자.
믿으라 말하지 말고 믿을 수 있는 사람이 되자.
좋은 사람을 기다리지 말고 좋은 사람이 되어주자.
보여주는(인기) 인생을 사는 것이 아닌
보여지는(인정) 인생을 살아가자.
나 이런 사람이야 말하지 않아도
이런 사람이구나 몸, 머리, 마음으로 느끼게 하자.

명품
동기부여
명품
자기계발
경력은 실력이 아닙니다! 최보규 강사는 경력만으로 강의하지 않습니다!
책을 읽고 메모하며 책을 출간 했다고 강의 내공이 좋은 건 아닙니다!
하지만 책 2,032권, 메모 7,626개, 습관 320가지, 책 100권 출간 내공으로
강의하는 강사에 강의 내공은 단언컨대 "세계 최고"일 것입니다!
KYOBO eBook
최보규님의 서재
책장 (전체 2032)
편집
+ 추가
기본책장 (2028)
나다운강사1,2 (1)
나다운 방탄멘탈 (1)
행복히어로1 (1)
행복히어로2 (1)
NAVER 메모
새 메모 쓰기
중요 메모 57
담은 링크 51
사진 첨부 메모 1,325
할 일 2
다이어리
전체 메모 7626
15년 2,032권 읽음
15년 7,626개 메모
최보규
프로필
도서 108건
나다운
방탄습관블록
BOOKK
자기계발서 100권 출간
45년 방탄 습관 320가지

최보규 강사 11계명

1. 학습자에게 섬김을 받으려는 강의가 아닌 학습자를 섬길 수 있는 강의를 하겠습니다.
2. 오늘이 마지막 날인 것처럼 강의하고 영원히 살 것처럼 학습자에게 배우겠습니다.
3. 강의 있는 전날에는 최상의 컨디션을 유지 하기 위해 건강관리, 목 관리, 자기관리 하겠습니다.
4. 강의장 1시간 전에 도착해서 강의 마음가짐 준비하겠습니다.
5. 강의장 가장 먼저 도착 강의 끝난 후 가장 늦게 나오겠습니다.
6. 내 삶이 강의고 강의가 내 삶이 되도록 행동하겠습니다.
7. 힘들게 배운 강의 노하우들 아낌없이 주겠습니다.
8. 어떻게 하면 학습자에게 즐거움? 행복? 메시지? 감동? 희망? 사랑?을 줄 것인가에 항상 생각하며 공부하겠습니다.
9. TV보다 책을 더 보겠습니다. 10. 공인이라는 마음으로 솔선수범하겠습니다.
11. 강사의 자존심 아침에 나올 때 신발장에 넣고 나오겠습니다.

방탄강사 백신

★ 잘난 강사가 되지 않고 진실한 강사가 되겠습니다!
잘난 강사는 피하고 싶어지지만 진실한 강사는
곁에 두고 싶어집니다!

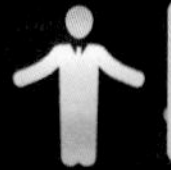

★ 대단한 강사가 되지 않고 좋은 강사가 되겠습니다!
대단한 강사는 부담을 주지만 좋은 강사는
행복을 줍니다

★ 멋진 강사가 되지 않고 따뜻한 강사가 되겠습니다!
멋진 강사는 눈을 즐겁게 하지만 따뜻한 강사는
마음을 데워 줍니다.

★ 유명한 강사가 되지 않고 필요한 강사가 되겠습니다!
유명한 강사는 환상을 주지만 필요한 강사는
배움, 성장, 지혜를 줍니다.

최보규 방탄동기부여 전문가
검증된 PT, 강의, 맞춤 코칭, 컨설팅
특허청 등록
최보규 자기계발코칭 창시자
등록 번호: 제 40-2072344 호
최보규 대표
010-6578-8295
특허청 등록
최보규 리더동기부여 코칭전문가
등록 번호: 제 40-2128786 호

방탄자기계발사관학교는 국가등록 민간자격증 발급 기관! 명품 인재 양성 기관!
리더십코칭전문가
동기부여코칭전문가
자기계발코칭전문가
강사코칭전문가
책쓰기코칭전문가
리더 분야
동기부여 분야
자기계발 분야
강의, 강사 분야
책쓰기, 책출간 분야
<저자 최보규>
<저자 최보규>
<저자 최보규>
<저자 최보규>
<저자 최보규>
방탄 리더십
리더 7대의무교육
리더 품위유지의무
리더 은퇴, 재테크
리더 동기부여
리더 스피치
리더 사명감, 인성
리더 기본기, 태도
리더 자존감, 멘탈
리더 습관, 행복
리더 인간관계
인재 양성 매뉴얼
리더 감정컨트롤
리더 스트레스관리
리더 라포형성기법
리더 상담기법
리더 코칭기법
리더 스토리텔링
7대 동기부여
변화,성장동기부여
비전 동기부여
열정 동기부여
사원 동기부여
임원진 동기부여
직급별 동기부여
사랑 동기부여
자존감 동기부여
자신감 동기부여
자기관리 동기부여
자기계발 동기부여
멘탈 동기부여
습관 동기부여
긍정 동기부여
인간관계 동기부여
인재양성 동기부여
행복 동기부여
7대 자기계발
변화,성장자기계발
비전 자기계발
열정 자기계발
사원 자기계발
임원진 자기계발
직급별 자기계발
사랑 자기계발
자존감 자기계발
자신감 자기계발
자기관리 자기계발
자기계발 자기계발
멘탈 자기계발
습관 자기계발
긍정 자기계발
인간관계 자기계발
인재양성 자기계발
행복 자기계발
강사 7대 의무교육
강사 인성, 매너
강사 품위유지의무
강사1~3년 차
강사료 올리기 위한 준비, 스펙 쌓기.
강사4~10년 차
강사료 올리기 의한 준비, 스펙 쌓기.
강사10~20년 차
강사료 올리기 위한 준비, 스펙 쌓기.
강사 스킬UP
강사 트레이닝
강의 스토리텔링 기법
강의 SPOT 기법
강사 양성 매뉴얼
강사 양성 시스템
책 쓰기 동기부여
책 출간 동기부여
작가 품위유지의무
책 쓰기, 책 출간 10G 매뉴얼, 시스템.
100권 출간으로 월세, 연금성 수입 창출전수.
강의 교안으로 책 쓰고 책 출간.
출간한 책으로 강의 교안 작업.
출간한 책으로 온라인, 디지털 콘텐츠 제작.
6가지 수입을 창출 하는 책 쓰기, 책 출간.
100년 지속 할 수 있는 기술력을 배우는 책 쓰기, 책 출간.
Google 자기계발아마존
YouTube 방탄자기계발
NAVER 방탄자기계발사관학교
NAVER 최보규

해보자! 해보자!
자신 가능성을 믿고!
해보자!
해보자!
자신의
사과 씨, 도토리, 포도 씨 믿으세요!
사과 씨 안에 얼마나 많은 사과가 있는지 모른다!
도토리 안에 얼마나 많은 도토리가 있는지 모른다!
포도 씨 안에 얼마나 많은 포도가 있는지 모른다!

명품 자기계발
방탄 동기부여
명품 동기부여
방탄동기부여 전문가
www.방탄자기계발사관학교.com
방탄리더 동기부여 1
최보규 대표
상담, 코칭, 강의, 컨설팅 문의
010-6578-8295
어제의 나는 잊어라!
살아온 날로 살아갈 날단정 짓지 말자!
자신을 못 믿겠다면 자신을 믿어주는
최보규 방탄동기부여 전문가를 믿고 시작합시다!
세상, 현실아 덤벼라!
몸, 머리, 마음을
강하게 해드립니다.!
Google 자기계발아마존
YouTube 방탄자기계발
NAVER 방탄동기부여
NAVER 최보규

명품 동기부여
명품 자기계발
최보규 대표
상담, 코칭, 강의, 컨설팅 문의
010-6578-8295
살아온 날로 살아갈 날·단정 짓지 말자!
해보자! 해보자! 지금부터, 해보자!
NAVER 최보규
NAVER 방탄자기계발사관학교
YouTube 방탄자기계발
Google 자기계발아마존
방탄
자기계발, 미래 걱정과 고민은 이제 그만 하세요!
시간과 돈 낭비하지 마시고 검증된 곳에서 학습, 연습, 훈련!
150년 a/s, 피드백, 관리, 케어 받으세요!
최보규 대표
010. 6578. 8295
코칭, PT, 강사, 컨설팅
nice5889@naver.com

방탄리더사관학교
BULLETPROOF LEADER MILITARY ACADEMY
BL MA
리더는 누구나 되지만
방탄리더는 아무나 될 수 없다!
BLMA
리더
필독도서
리더
지침서
리더
사용설명서

목차

방탄리더사관학교
창시한 이유
리더는 누구나 되지만
방탄 리더는 아무나 될 수 없다!
BLMA
방탄리더사관학교
BULLETPROOF LEADER MILITARY ACADEMY
BL
MA
BOOKK

★★★★★ 방탄리더사관학교 창시한 이유

방탄리더사관학교를 창시한 이유는 세종대왕님이 한글을 창시한 이유와 같다.

세종대왕님이 한글을 창시한 이유는 한 문장으로 말을 한다면 백성을 사랑해서다.

훈민정음 서문
우리나라의 말과 소리가 중국과 달라 한자와 서로 통하지 않는다. 그러므로 어리석은 백성들이 말하고 싶은 바가 있어도 그 뜻을 펴지 못하는 이가 많다. 내가 이를 불쌍히 여겨 새로 스물여덟 자를 만드노니 사람마다 쉽게 익혀 나날이 쓰기에 편하게 하고자 할 따름이니라.

최보규 방탄리더사관학교 참모총장이 방탄리더사관학교를 만든 이유를 한 문장으로 말을 한다면 "함께 하는 사람을 사랑하고 함께 잘 되고 잘 살자"라고 할 수 있다.

지금 3고(고물가, 고금리, 고환율) 시대, AI 시대, 챗GPT 시대, 숨만 쉬어도 200만 원 ~ 300만 원이 나가는 시대, 평균 희망 은퇴 73세, 현실 은퇴 나이 49세 시대... 점점 더 힘들고 어려워지는 시대다. 지금 상황을 극복하기 위해서는 일반 리더십으로는 힘들다. 강력한 리더십이 필요하고 노오력 하는 리더가 아닌 올바른 노력을 하는 방탄 리더가 절실하게 필요한 시대다.

나쁜 개는 없다. 나쁜 견주만 있다. 견주십!
나쁜 자녀는 없다. 나쁜 부모만 있다. 부모십!
나쁜 직원은 없다. 나쁜 리더만 있다. 리더십!

모든 것은 리더십에서 시작된다는 것이다. 지금 시대는 위치가 사람을 만드는 경우보다 위치가 사람을 망치는 경우가 더 많다. 리더 위치에서 끊임없이 리더십 학습, 연습, 훈련하지 않으면 리더를 망치고 리더와 함께 하는 사람들까지 망쳐버린다. 그 무엇보다 리더십은 체계적으로 배워야 하는데 현실은 어떤가?

20,000명 심리 상담, 코칭 하면서 알게 된 것은 체계적인 시스템 없는 인스턴트 리더 책, 인스턴트 리더 교육으로 인해 건강한 리더십, 현명한 리더십이 아닌 늘 그때뿐인 인스턴트 리더십에 중독되어 리더들의 몸, 머리, 마음까지 썩고 있다는 것이다.

리더십의 본질을 알아야만 노오력이 아닌 올바른 노력

을 할 수 있다.

운동의 본질은 헬스, 운동의 기본기를 배우지 않는 사람이 좋은 헬스장으로 옮긴다고 헬스, 운동 습관이 만들어지는 것이 아니다.

직장의 본질은 월급 날짜만 기다리는 사람이 직장을 바꾼다고 일에 대한 의욕이 생기지 않는다.

사랑의 본질은 평상시에 사랑받을 행동을 안 하는 사람은 사랑하는 사람이 생겨도 사랑받을 수가 없다.

인간관계의 본질은 내가 좋은 사람이 되기 위해 학습, 연습, 훈련을 안 하면 좋은 사람이 생겨도 금방 떠나간다.

자기계발, 동기부여 본질은 "어제 보다 0.1% 나은 사람이 되자."라는 태도로 꾸준히 자기계발, 동기부여하지 않으면 시간, 돈 낭비를 한다.

리더십의 본질은 경력, 나이를 내세우면서 시대에 맞는 리더십으로 업데이트하지 않으면 리더십이 아닌 꼰대십(리더병)이 나온다. 꼰대십(리더병)이 생기면 "위치가 사람을 만드는 것이 아니라 위치가 사람을 망쳐버린다."

본질을 모르면
시간, 돈, 인생 낭비가 되어
악순환이 반복된다.
본질을 어떻게 학습, 연습, 훈련할 것인가?

헬스, 운동의 본질

직장, 일의 본질

연애, 사랑의 본질

인간관계의 본질

자기계발, 동기부여의 본질

리더십의 본질

더 늦기 전에 방탄리더사관학교 25가지 리더십의 본질인 방탄 리더 인재 양성 시스템을 통해 강력한 리더십인 방탄 리더십으로 거듭나야 된다.

방탄 리더 1명이 10만 명을 먹여 살리고 변화 시킨다.
리더는 사라져도 방탄 리더십은 1,000년 간다.
세계 최초 방탄리더사관학교 25가지 시스템 시작한다!

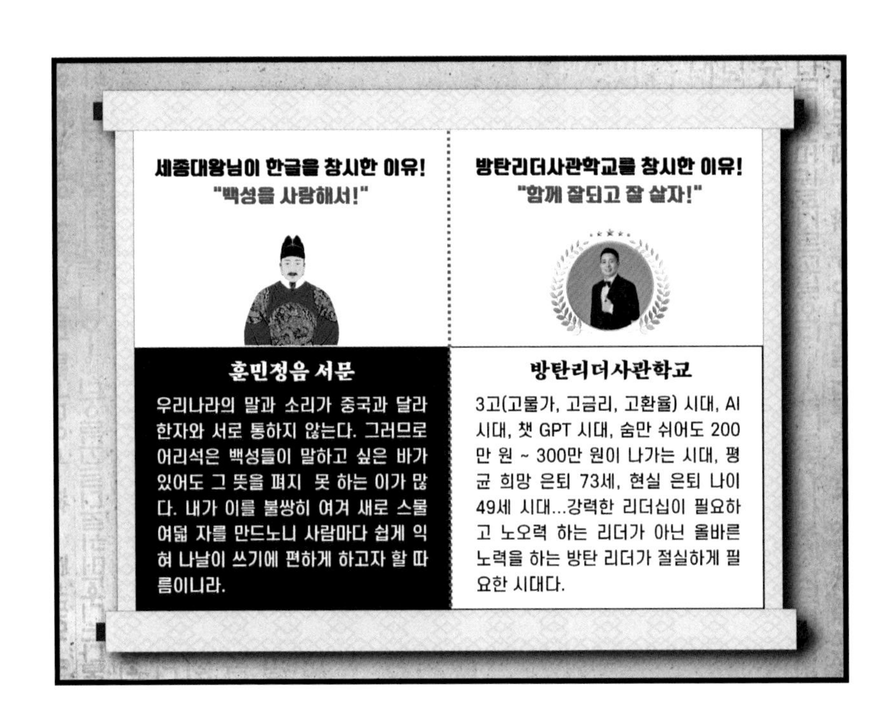

방탄리더사관학교
BULLETPROOF LEADER MILITARY ACADEMY
리더
방탄BOOK기술력과
3
당신에게
방탄book기술력은
(수입 창출 6가지 시스템)
천재일우다!
BOOKK
<저자 최보규>
수입 창출 6가지 시스템! 100세까지 지속적인 수입을 발생시키고 100세까지 현역을 유지시켜 준다.

Class 20. 리더 방탄book기술력과

- 수입 창출 6가지 시스템! 100세까지 지속적인 수입을 발생시키고 100세까지 현역을 유지시켜 준다.

★ 방탄book기술력(수입 창출 6가지 시스템)과 자신 분야 연결.

누구나 움직이지 않아도 노동을 하지 않아도 돈을 버는 시스템을 바란다. 움직이지 않아도 노동을 하지 않아도 돈이 들어오는 시스템을 만들 수 있다면?
여행 중에도 돈이 들어오는 시스템?
쉬는 동안에도 돈이 들어오는 시스템?
직원이 없어도 돈이 들어오는 시스템?
사무실이 없고 사무실 임대료 걱정 없이 돈이 들어오는 시스템? ....
숨만 쉬어도 기본 한 달에 200~300만 원이 지출 되는 3고 시대에서 숨만 쉬어도 돈이 매월 자동으로 들어온다면? 연금처럼 매월 돈이 나오는 시스템? 건물주처럼 월세가 매월 나오는 시스템?

자동으로 한 달에 100만 원을 벌 수 있는 시스템을 만든다면 3억짜리 건물을 가지고 있는 건물주다.
자동으로 한 달에 50만 원을 벌 수 있는 시스템을 만든다면 1억 5천만 원짜리 건물을 가지고 있는 건물주다.
자동으로 한 달에 10만 원을 벌 수 있는 시스템을 만든다면 3천만 원짜리 건물을 가지고 있는 건물주다.
자동으로 한 달에 1만 원을 벌 수 있는 시스템을 만든다면 300만 원짜리 건물을 가지고 있는 건물주다.

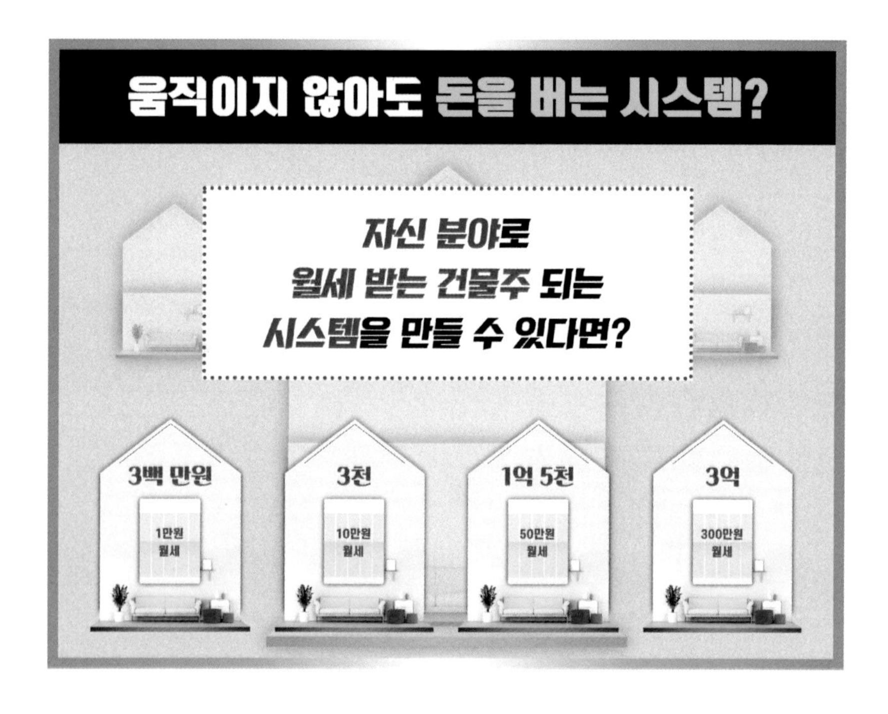

순간 이런 생각이 드는 사람도 있을 것이다.
"최소 매월 100이상은 나와야 그래도 쓸만한 시스템(건물)이라고 말을 하죠. 지금 3고 시대에 10만 원? 1만 원? 솔직히 안 벌고 말죠."라는 말을 하며 표면적인 것만으로 판단을 한다.

당연히 액수만 보면 매월 1만 원, 5만 원, 10만 원... 얼마 되지 않는다. 단순하게 생각을 해보자. 한번 물어보겠다.

"당신은 노동을 하지 않았는데 매월 십 원 하나 통장에 들어오는 게 있는가? "
"당신은 노동을 하지 않았는데 매월 1만 원이 통장에 들어오는 시스템이 있는가?"

"없으면서 십 원을 무시하는가? 1만 원을 무시하는가? 무슨 자격으로 무시하는가? 그런 말을 할 자격이 있다고 생각하는가? 한 달에 1,000만 원씩 벌고 있으면서 그런 말을 하는가?"

오해하지 말고 들었으면 한다. 위와 같은 생각을 했던 사람들을 무시하는 것이 아니라 노동하지 않아도 벌 수 있는 시스템을 제대로 알지 못하는 사람들의 생각을 체크해 주는 것이다. 당연히 무시하는 의도로 말하진 않았을 것이고 3고 시대다 보니 현실적으로 말을 했을 거라 생각한다.

자신이 세상, 현실 기준에서 스펙, 돈, 인맥, 자산... 등이 없는 상황, 100세까지 노동을 해야 되는 답이 없는 상황에서 월세, 연금처럼 자동으로 1만 원이라도 나오는 시스템을 가지고 있다는 것이 엄청난 것임을 느끼지 못한다면 당신은 인생, 현실 돈 공부가 턱없이 부족한 상태고 당신의 미래 자산 주머니는 미래를 가보지 않아도 어둡다는 것이 보인다.
1만 원이 나오는 시스템의 시작이 100만 원, 300만 원, 500만 원, 1,000만 원이 나오는 시스템을 만들 수 있는 것이다. 가지고 있는 것이 아무것도 없는 상황에서 매월 100만 원 나오는 시스템을 누가 권유한다면 사기꾼일 확률이 1,000%다. 가진 게 많은 사람들이 사기당할 거 같은가? 아니다. 가진 것이 없는 사람들이 자신 주제에 맞지 않고 올 수 없는 정보, 권유가 오기에 판단력이 흐려져 사기당하는 것이다. 사기꾼들이 가장 많이 하는 말이 '무조건 돈 번다'라는 말이다. 정신 바짝 차려야 한다.

그 누구도 믿지 말고 의심해야 한다. 가족도 의심해라! 친구는 더 의심해라! 의심하고 또 의심해라!

2024년 대한민국 현실은 5명 중 1명이 사기꾼이고 3혹[유혹, 현혹, 화혹(화려함에 혹하다)]에 빠져 3명 중 1명중 한명이 사기 당한다. 대검찰청에 따르면 연간 136만 건 범죄 중 가장 많이 발생하는 범죄가 1위는 사기다. 수입 인증, 통장 인증하는 사람들 90%는 "믿음을 줘야 크게 한탕을 칠 수 있다."라는 심리가 있다. 수입 인증, 통장 인증하는 사람들이 다 사기꾼은 아니다. 하지만 단언컨대 사기꾼들은 수입 인증, 통장 인증을 한다는 것을 명심하자!
노벨상 받은 사람, 하버드 대학교 교수, 은퇴 전문가, 노후 전문가들 1,000명 이면 1,000명이 말하는 것이 최고의 은퇴 준비, 노후 준비는 100세까지 현역을 하는 것이다.

100세까지 현역이라는 말이 무슨 말인가?
100세까지 노동을 죽어라 하라는 것이 아니다. 나이에 맞는 일을 해야 한다는 것이다. 100세까지 돈을 벌수 있는 시스템을 만들어야 된다는 것이다.

움직여서 돈을 벌 수 있는 것은 한계가 있기에 움직이지 않아도 돈을 벌 수 있는 시스템을 만들어야 된다. 하나이가 들면 들수록 돈을 벌수 있는 일들이 극소수가 되어간다.

젊었을 때는 1,000가지 직업 중에 전문직 빼고는 90% 직업을 할 수 있었지만 나이가 들면 반대로 1,000가지 직업 중에 90%는 할 수 없는 것이 되고 극소수만 10%

직업을 유지 한다. 그것도 일반 사람들에게는 사짜 직업 외에는 더 극소수만 일을 할 것이다. 이런 현실이 앞으로 더 하면 더 했지 덜하지는 않는다. 이런 현실 속에서 지금까지 경험하고 쌓았던 경력으로 배운 지식을 연결해서 월세처럼 돈을 벌고 100세까지 현역을 유지할 수 있다면? 하겠는가? 무엇이든 보장은 없다. 가능성이 얼마만큼 높은가에 따라 달라지는 것이다.

방탄book기술력 시스템을 배우면 "자신 분야로 매월 1,000만 원을 벌수 있다?"라는 말을 하는 게 아니다. 방탄book기술력 시스템을 통해 자신 분야 삼성(진정성, 전문성, 신뢰성)을 높여 움직이지 않아도 노동하지 않아도 지속적인(100세)수입을 발생 시키고 100세까지 현역으로 살 수 있는 인생을 알려주는 시스템이다.

방탄book기술력 시스템이라는 도구를 가지고 어떻게 활용을 하느냐에 따라 달라지는 것이지 '무조건 돈 번다'가 아니다.

자신 인생, 자신 분야를 터닝포인트 해줄 방탄book기술력을 접목해서 나다운 시스템을 만들길 바란다. 시스템을 만들 수 없다면 만들어진 시스템 안으로 들어가면 된다.

방탄book기술력
(수입 창출 6가지 시스템)
특허청 등록
최보규 자기계발코칭 창시자
등록 번호: 제 40-2072344 호
특허청 등록
최보규 리더동기부여 코칭전문가
등록 번호: 제 40-2128786호
3고 시대, AI 시대, 챗 GPT 시대를
극복하기 위한
방탄book기술력
작가(인세)
강사
유튜버
온, 오프라인
디지털 콘텐츠
무인 시스템
코칭

방탄book기술력(6가지 수입을 창출) 시스템의 핵심은 일반 사람이 습득하는 기술력이 아니라 리더급이 습득하는 기술력이다. 누구나 방탄book기술력을 배울 수 있지만 아무나 지속하지 못한다. 그 만큼 수준이 높은 방탄book기술력이다 보니 일반 사람들도 배울 수는 있지만 리더들이 배우길 추천한다.

지금 시대는 은퇴 나이가 점점 더 빨라지고 있다. 통계청에 의하면 희망퇴직 73세이고 은퇴 현실은 49세다. 권고사직, 명예퇴직 10명 중 4명은 자신의 뜻과 상관없이 그만둔다. 평균 은퇴 나이 49세다. 앞으로 은퇴 나이가 더 낮아지는 상황에서 20대는 은퇴 예정자? 30대는 은퇴 확정자? 40대는 은퇴 위험군? 은퇴 준비는 빠를수록 좋다는 것이다.

3고 시대, AI 시대, 챗 GPT 시대... 이제는 한 분야 전문성으로는 힘든 시대다. 이제는 리더도 포트폴리오 커리어 리더(한 분야 전문성이 있는 것이 아닌 다수에 전문성이 있는 사람)가 되어야 한다. 다음으로 나오는 포트폴리오 커리어 개념을 참고하자.

한 분야 전문성으로는 힘든 시대! 앞으로 포트폴리오 커리어 시대에는 포트폴리오 커리어 인재만 살아남는다!

1970년대 인재, 1980년대 인재, 1990년 대 인재, 2000년 대 인재, 2010년 대 인재... 2010년 대부터 인재상이 580도로 확 달라졌다. 그 이유는 스마트폰이 보급화되어 빠른 기술 변화로 인해 이전 새대와 차원이 다른 인재로 업그레이드되었다는 것이다. 하지만 많은 리더들이 시대에 맞는 인재상이 아닌 이전 새대에 인재상으로 리더십을 발휘하니 인재가 오래 버티지 못하는 것이다. 인재상도 시대에 맞게 업데이트해야 한다.

지금 시대는 포트폴리오 커리어 인재라고 한다. 다음은 포트폴리오 커리어 인재가 어떤 인재인지 깨닫게 해주는 내용이다.

포트폴리오 커리어 시대
'포트폴리오 커리어의 시대'는 세계 최고의 경영사상가 찰스 핸디가 이미 오래전에 예측한 바 있다. 그는 포트폴리오 커리어의 시대에는 대부분의 생활이 일에 포함된다고 본다.
2가지 또는 그 이상의 영역에서 일을 하는 사람들이 늘어나는 현상에 따른 것이다.

'멀티-커리어리즘' (Multi-careerism)과도 연결된다. 이런 포트폴리오 커리어는 하나의 직무만으로 평생 먹고 살기가 힘들어진다. 그런 미래가 우리 앞에 이미 현실화 되었음을 시사한다.
이광호의《아이에게 동사형 꿈을 꾸게 하라》중에서

* 하나의 일, 하나의 직업으로
살아가는 시대는 지났습니다. 모든 것이
일이 되고 모든 일이 직업이 되는 시대를 맞고 있습니다. 여러 일을 동시에 할 수 있는 '멀티 플레이어'가 되어야 살아남을 수 있습니다. 이런 시대에 요구되는 가장 중요한 것은 자기 관리, 자기 준비입니다. 새로운 기술과 지식, 유연한 사고와 창의적 발상으로 언제든 능숙하게 대응해야 합니다. 포트폴리오 커리어 시대입니다.

(2020년 8월 11일 앙코르메일)

<고도원의 아침편지>

포트폴리오 커리어 시대를 준비하자
우리가 살아가는 세상은 커리어 세상이다. 그리고 현대사회는 포트폴리오 커리어 시대이다.

우리는 예전에 "한 우물을 파야 된다"는 어르신들의 말씀을 듣고 살았다. 즉, 단일경로 시대인 커리어 패스 시대 였다. 마치 사다리를 오르듯 한 단계씩 더 큰 책임과 승진으로 가는 모습이었다.

이에 반해 요즘은 포트폴리오 커리어 시대다.
포트폴리오 커리어란 다양한 자신의 역량과 경험을 횡으로 개발하고 펼쳐놓아 어떤 커리어가 필요할 때 이들을 유연하게 조합하는 것을 의미한다. 세상이 바뀌어서 정보시대이고 그러고는 세상이 눈 깜빡할 사이에 많은 것이 변하고 있다.

그래서 한 가지 직업으로는 살아남기가 무척 어렵기에 자신의 다양한 포트폴리오를 활용하여 변화하는 상황과 필요로 하는 직업에 유연하게 대응하는 것이다.

과거는 대개 한 두 회사에서 퇴직까지 근무하거나 회사를 옮겨도 한 업종 안에서 왔다 갔다 할 뿐이었다. 이에 커리어 패스가 중요했다. 한 두 회사에서의 커리어 패스란 사실상 승진이라는 단일경로 외에는 대안이 없다.

이에 대부분의 교육과 역량개발은 승진의 단계마다 초점이 맞추어졌다. 그러나 인간의 수명이 점점 길어져 100세 시대가 되었다. 그리고 하나의 일, 하나의 직업으로 살아가는 시대는 지났다. 모든 것이 일이 되고 모든 일이 직업이 되는 시대를 맞고 있다. 여러 일을 동시에 할 수 있는 '멀티 플레이어'가 되어야 살아남을 수 있다.

이런 시대에 요구되는 가장 중요한 것은 자기 관리, 자기 준비이다. 새로운 기술과 지식, 유연한 사고와 창의적 발상으로 언제든 능숙하게 대응해야 한다. 기업도 생존주기는 점점 짧아져 간다. 젊은 세대들은 과거와 달리 한 회사에 평생 머물기를 원하지 않는다. 이제 몇 번의 동종업계 이직뿐 아니라 전혀 새로운 커리어 도전도 하게 될 것이다.

직장생활을 하는 직장인들도 야간이나 주말을 활용하여 자신의 또 다른 부캐를 이용하여 유튜브 등의 콘텐츠를 생성하고 투자활동도 한다. 기업 또한 빠르고 예측 불가능한 환경변화, 디지털 전환에 따른 기회와 위협에 대응하기 위해 인재관을 새롭게 정립하고 있다.

이런 시대는 어떤 인재가 필요할까?
미래의 인재들은 과거와 달리 박스나 사일로에 갇혀 있거나 특정 비즈니스만을 잘하는 사람들보다는 이를 넘어 사고를 확장할 수 있고 다양한 경험과 유연성을 갖춘 사람일 가능성이 높다. 그러므로 앞으로는 포트폴리오 커리어가 더 중요해질 것이라는 주장이다. 포트폴리오 커리어를 구축하기 위해 노력하는 사람들은 현재의 직업에 머물지 않는다.

호기심을 가지고 다양한 경험을 해본다. 다양한 기술들을 습득한다. 또한 습득한 다양한 기술과 직무에 필요한 기술을 창의적으로 연결하는데 숙련되어 있다. 이에 새로운 기회를 위해 자신을 홍보하고 심지어 만들 수 있는 준비가 더 잘 되어 있는 것이다. 전문가들은 산업혁명이 시작된 이래 유지되어오던 '일자리 시대'가 산업혁명 이전의 '일거리 시대'로 다시 회귀하는 추세라고 말한다.

유엔미래포럼 한국대표인 박영숙의 저서 '메이커의 시대(미래 일자리)'라는 유엔보고서 책자에서 “2030년대 즈음에 일자리의 시대에서 일거리의 시대로 바뀐다”라고 말한다.
혹시 개인적으로 부담이 된다면, '일거리'를 '일자리로 가기 위한 경험을 부여해줄 징검다리 활동'으로 보면 좋다.

따라서 오랫동안 일하면서 비교적 높은 보수를 받았던 안정된 형태의 '주된 일자리'에서 벗어난 이후에도 재취업 등을 통해서 일해야 할 필요성이 있는 신중년들은 이제 기존에 유연하지 않은 생각에서 벗어나 세상의 변화에 따르는 방법론도 좋은데 그 중 하나가 바로 '포트폴리오 커리어'이다. 또한, 자신이 직장인들이라면 빈 백지 하나를 꺼내서 자신의 포트폴리오 커리어를 하나씩 원으로 표시해보자.

지금까지 내가 경험한 것이 무엇일까? 내가 잘하는 것은 무엇일까? 두 번째, 이들을 연결해보라. 이들을 연결함으로써 어떤 새로운 가능성을 만들 수 있을까? 마지막으로는 여기에 추가하고 싶은 포트폴리오가 무엇인지 더해보라. 어댑터블하고 유연한 포트폴리오 커리어를 구성해 나가보라. 이것이 예측이 어려운 미래를 효과적으로 대응하는 방법이 될 것이다.

인생 1막을 마치고 난 이후에도 안정된 일자리에서 일하고픈 인간의 욕구는 당연하지만, 베이비붐 세대의 본격적인 퇴직이 시작되는 현시점의 높은 재취업 경쟁률 속에서 이전과 달리 질적이고도, 안정된 일자리를 찾기는 점점 어려워진다.

아래 변화의 시간이 빨라진 현시점에서 여러 가지 장애물을 넘어야만 하는 재취업보다는 '혼자 하는 일', 혹은 여러 개의 '파트타임 일'을 묶어서 동시에 해보라고 조

언한다. 이전과 달리 장기간의 고용을 제공하는 일자리는 점점 줄어들기 때문이다. 특히 안정된 일자리만 희망하면서 장기간에 걸친 구직기간을 허비할 수 없는 처지라면 평소에 생각하지 않던 '파트타임 일' 등에 관심을 가져보면 어떨까? - 강성남 칼럼위원(담양문화원장)-

<담양뉴스>

한마디로 포트폴리오 커리어 인재는 한 분야 전문성이 있는 것이 아닌 다수에 전문성이 있는 사람을 말한다. 한 가지 일만 잘 하는 사람이 아닌 다수에 일을 할 수 있는 사람이다. 지금은 포트폴리오 커리어 인재 한 명이 10명의 가치를 창출하는 시대다.

《방탄 리더 인재양성 1》

3고 시대에 포트폴리오 커리어 리더가 되는 것은 선택이 아닌 필수다.

6가지 수입을 창출하기 위한 본질은 리더자질을 갖추어야만 시너지 효과가 난다. 리더 자질도 일반 리더십이 아닌 방탄리더이다. 4차 산업시대는 4차 리더십인 방탄리더십 자질이 있어야만 방탄book기술력(6가지 수입을 창출) 시스템이 극대화된다. 다음으로 나오는 포트폴리오 커리어 리더(방탄 리더) 6가지 수입 창출 비교 참고하자.

1. 포트폴리오 커리어 리더 작가
2. 포트폴리오 커리어 리더 강사
3. 포트폴리오 커리어 리더 유튜버
4. 포트폴리오 커리어 리더 오프라인, 온라인, 디지털 콘텐츠
5. 포트폴리오 커리어 리더 무인 시스템
6. 포트폴리오 커리어 리더 코칭

포트폴리오 커리어 리더
OOO전문가
VS
강사 수입만 발생!
강사 외 5가지 수입 발생!
50000
강사
강사
책 인세
강사
유튜버
온, 오프라인 디지털 콘텐츠
무인 시스템
코칭

포트폴리오 커리어 리더
OOO전문가
VS
유튜버 수입만 발생!
유튜버 외 5가지 수입 발생!
50000
유튜버
유튜버
책 인세
강사
유튜버
온, 오프라인 디지털 콘텐츠
무인 시스템
코칭

포트폴리오 커리어 리더
OOO전문가
VS
디지털 수입만 발생!
디지털 외 5가지 수입 발생!
디지털
디지털
책 인세
강사
유튜버
온, 오프라인 디지털 콘텐츠
무인 시스템
코칭

포트폴리오 커리어 리더
OOO전문가
VS
무인 시스템 수입만 발생!
무인 시스템 외 5가지 수입 발생!
무인 시스템
무인 시스템
책 인세
강사
유튜버
온, 오프라인 디지털 콘텐츠
무인 시스템
코칭

포트폴리오 커리어 리더
VS
코칭 수입만 발생!
코칭 외 5가지 수입 발생!
코칭
코칭
책 인세
강사
유튜버
온, 오프라인 디지털 콘텐츠
무인 시스템
코칭

출판계의 스티브 잡스!
스마트폰의 혁신!
아이폰
(아이팟 + 인터넷 + 폰)
출판계의 혁신!
방탄book
6가지 수입 창출 책 쓰기 기술력!

아이팟, 인터넷 , 폰. 이것은
3개의 기기가 아닙니다.
하나의 디바이스입니다.
우리는 이것을 아이폰이라 부릅니다.

책만 출간하고 끝나는 것이 아닌 자신 분야와 출간 한 책을 연결하여 6가지 수입을 창출 할 수 있는 방법이 아닌 기술력을 전수합니다.

우리는 이것을
방탄book 기술력이라 부릅니다.

한 분야 전문성으로는 살아남기 힘든 시대!
기술력 시대! 당신의 선택은?

VS

대한민국 평균(90%) 책 쓰기

책 한 권 쓰고 출간 후 활용 못해서 3개월 뒤에 쓰레기 취급해버리는 책 출간만 하는 책쓰기 교육, 코칭!

세계 최초 6가지 기술력 전수 책쓰기

책 한 권 쓰고 출간해서 100년 지속 할 수 있는 6가지 기술력까지 배워서 6가지 수입을 올리는 책쓰기 기술력 교육, 코칭!

3고 시대, AI 시대, 챗 GPT 시대... 이제는 한 분야 전문성으로는 힘든 시대다. 이제는 리더도 포트폴리오 커리어 리더(한 분야 전문성이 있는 것이 아닌 다수에 전문성이 있는 사람) 자기계발을 해야 한다.

6가지 수익 창출 포트폴리오 커리어 리더 자기계발을 어떻게 할 것인가?

1. 포트폴리오 커리어 리더 작가 자기계발
2. 포트폴리오 커리어 리더 강사 자기계발
3. 포트폴리오 커리어 리더 유튜버 자기계발
4. 포트폴리오 커리어 리더 오프라인, 온라인, 디지털 콘텐츠 자기계발
5. 포트폴리오 커리어 리더 무인 시스템 자기계발
6. 포트폴리오 커리어 리더 코칭 자기계발

3고 시대를 극복하기 위한 6가지 수익 창출 포트폴리오 커리어 리더 자기계발. 희망퇴직 나이 73세이고 대한민국 현실 은퇴 나이 49세를 준비, 극복하기 위한 6가지 수익 창출 포트폴리오 커리어 리더 자기계발.

100세 현역으로 살기 위한 6가지 수익 창출 포트폴리오 커리어 리더 자기계발. 6가지 수익 창출 포트폴리오 커리어 리더 자기계발 매뉴얼, 시스템 세계 최초 공개한다!

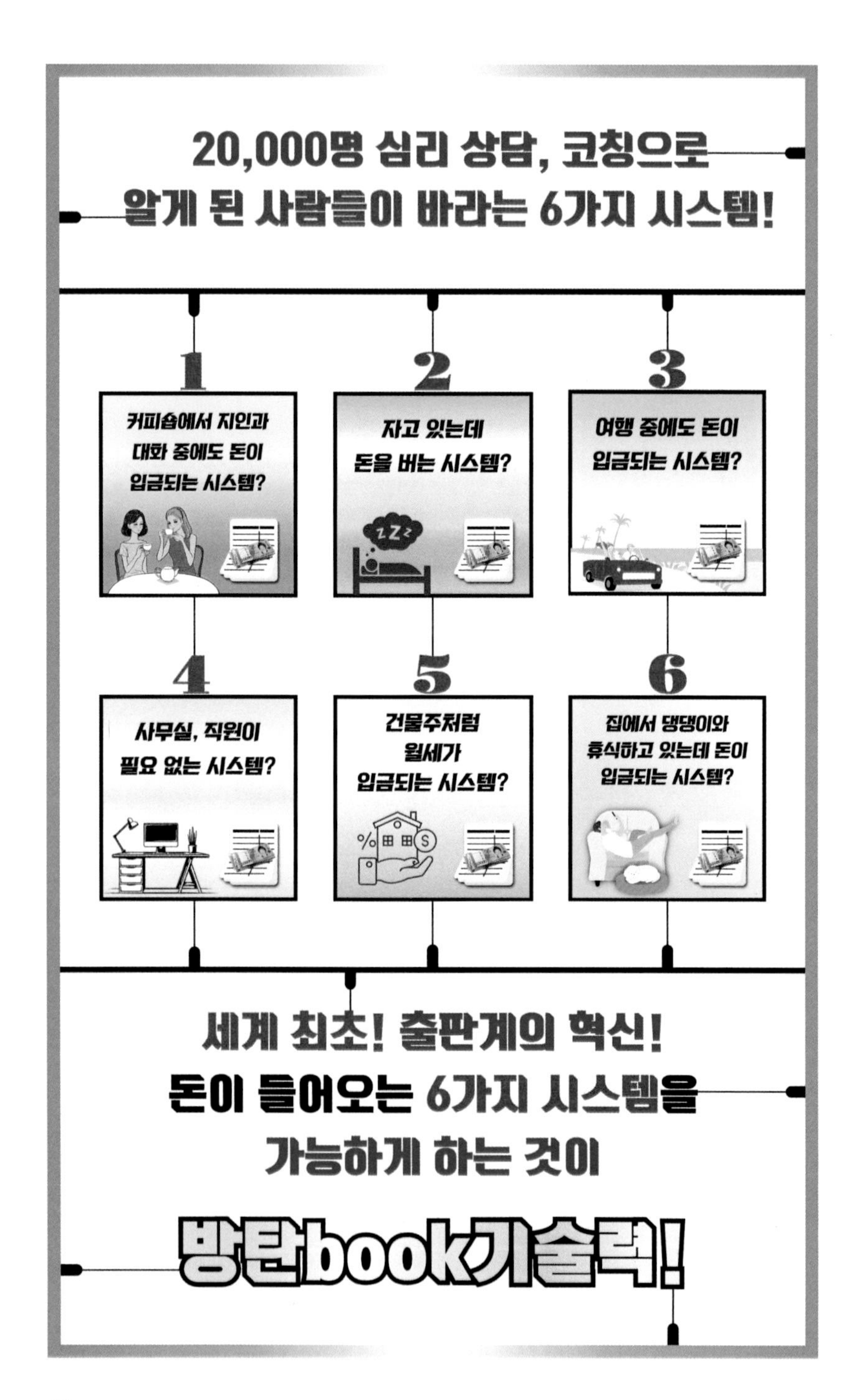
20,000명 심리 상담, 코칭으로
알게 된 사람들이 바라는 6가지 시스템!
1
커피숍에서 지인과
대화 중에도 돈이
입금되는 시스템?
2
자고 있는데
돈을 버는 시스템?
3
여행 중에도 돈이
입금되는 시스템?
4
사무실, 직원이
필요 없는 시스템?
5
건물주처럼
월세가
입금되는 시스템?
6
집에서 댕댕이와
휴식하고 있는데 돈이
입금되는 시스템?
세계 최초! 출판계의 혁신!
돈이 들어오는 6가지 시스템을
가능하게 하는 것이
방탄book기술력!

평균 희망 은퇴 73세, 현실 은퇴 나이 49세!
100세 시대 언제까지 몸(노동)으로만
일해서 돈을 벌 것인가?

세상, 현실 기준에서 스펙, 돈, 인맥, 자산 등이 없어서 100세까지 노동을 해야 되고 몸까지 아프면 더 답이 없는 상황! 젊을 때는 100가지 중 99가지를 할 수 있지만 나이 들면 100가지 중 99가지를 할 수 없다. 3고 시대, AI 시대, 챗GPT 시대에 자신의 직업이 사라 질 수 있는 상황에서 어떻게 준비, 대비할 것인가?

방탄BOOK기술력
선택이 아닌 필수!

PPT로 책 출간
출판계의 혁신! 6가지 시스템 수익 창출 책 출간!
1
2
3
4
5
6

PPT로
책 출간을 해서
6가지 수입 창출을 한다!
집중!
집중!
집중!

PPT를 활용해서 일하는
300만 명 리더, 프리랜서, 전문가들이 기다리던 소식!

누군가는 PPT를 활용해서 경력만 쌓고 일만 하며
일할 때 외에는 활용하지 않는다. 그래서 인생이 힘든 것이다!

누군가는 PPT를 활용하여 책을 출간해서
6가지 수입을 올린다.
왜 가지고 있는 경력, 가지고 있는 PPT를 썩히고 있는가?

특허청 등록
최보규 자기계발코칭 창시자
등록 번호: 제 40-2072344호
출판계의 혁신! 방탄book기술력 !
세계 최초 오픈!
특허청 등록
최보규 리더동기부여 코칭전문가
등록 번호: 제 40-2128786호
방탄book기술력 창시자
특허청 등록
20,000명 심리 상담, 코칭
2,000권 독서
자기계발서 400권 출간
강사 15년
7G 직업
(출판사 대표, 작가, 심리 상담사, 코칭 전문가, 강사, 유튜버, 한집의 가장)
45년간 습관 381가지 만듦
최보규 대표
상담, 코칭, 강의, 컨설팅 문의
010-6578-8295

CHANGE

수입
PPT교안
프리랜서지옥
힘든시기
챗GPT
고유가
투자
현실 은퇴 49세
3고시대
PPT자료
영끌
한방! 대박!
고환율
투잡
수입창출
고금리
점점더 힘들어진다
새로운시도

가지고 있는 경력으로 돈을 벌 수 있다?
가지고 있는 스펙으로 돈을 벌 수 있다?
가지고 있는 PPT로 돈을 벌 수 있다?
가지고 있는 경력, 스펙, PPT를 왜 썩히는가?

20,000명 심리 상담, 코칭으로 알게 된 사람들이 바라는 시스템!

1. 커피숍에서 지인과 대화 중에도 돈이 입금되는 시스템?
2. 자고 있는데 돈을 버는 시스템?
3. 여행 중에도 돈이 입금되는 시스템?
4. 사무실, 직원이 필요 없는 시스템?
5. 건물주처럼 월세가 입금되는 시스템?
6. 집에서 댕댕이와 휴식하고 있는데 돈이 입금되는 시스템?

세계 최초! 출판계의 혁신!
방탄book기술력

세계 최초! 출판계의 혁신!
방탄book기술력

방탄
ook기술력

방탄book기술력
PPT로 종이책 출간
Google 자기계발아마존
YouTube 방탄자기계발
NAVER 300만원동기부여
NAVER 최보규

방탄book기술력
PPT로 전자책 출간
Google 자기계발아마존
YouTube 방탄자기계발
NAVER 300만원동기부여
NAVER 최보규

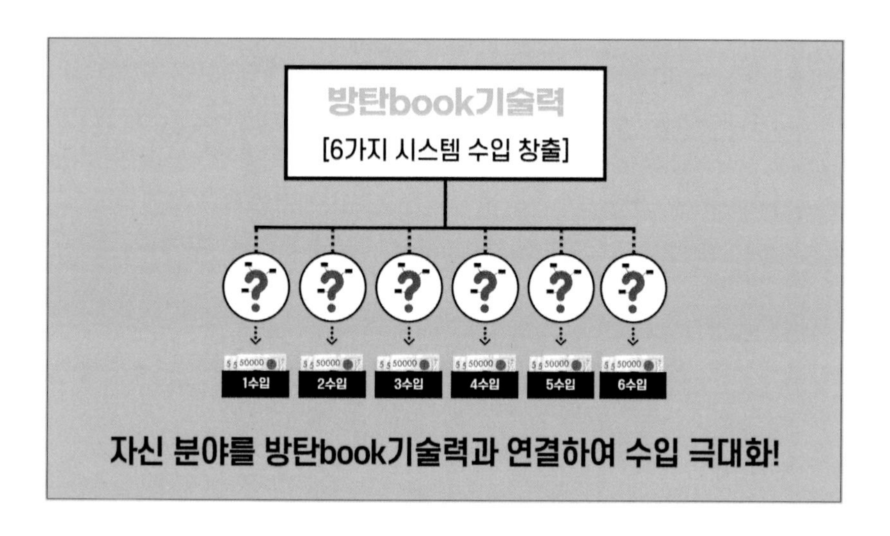
방탄book기술력
[6가지 시스템 수입 창출]
1수입
2수입
3수입
4수입
5수입
6수입
자신 분야를 방탄book기술력과 연결하여 수입 극대화!

수입 UP 수입 UP 수입 UP

수입 UP 수입 UP 수입 UP

수입 UP 수입 UP 수입 UP

비수기 해결 비수기 해결 비수기 해결

비수기 해결 비수기 해결 비수기 해결

비수기 해결 비수기 해결 비수기 해결

삼성 UP

(진정성, 전문성, 신뢰성)

삼성 UP
(진정성, 전문성, 신뢰성)
삼성 UP
(진정성, 전문성, 신뢰성)
삼성 UP
(진정성, 전문성, 신뢰성)
삼성 UP
(진정성, 전문성, 신뢰성)
삼성 UP
(진정성, 전문성, 신뢰성)
삼성 UP
(진정성, 전문성, 신뢰성)
삼성 UP
(진정성, 전문성, 신뢰성)
삼성 UP
(진정성, 전문성, 신뢰성)

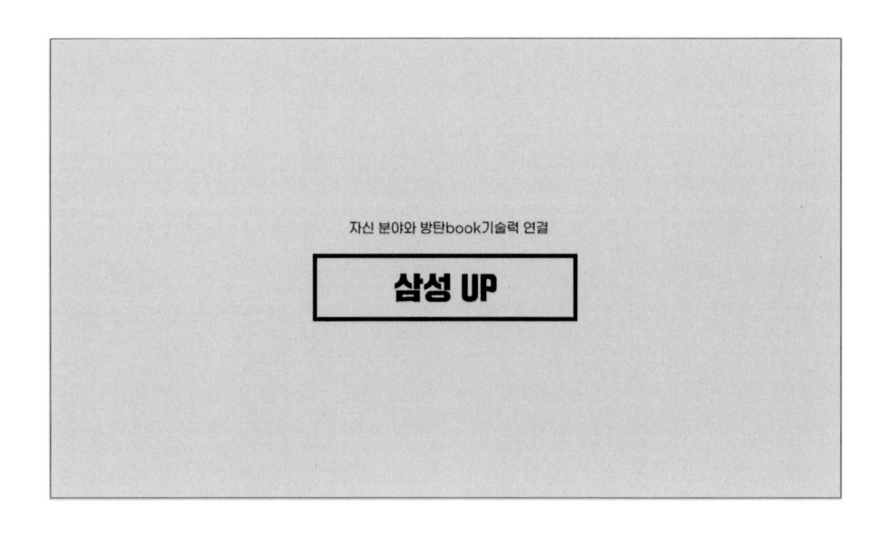

스펙, 인맥 NO 스펙, 인맥 NO 스펙, 인맥 NO

스펙, 인맥 NO 스펙, 인맥 NO 스펙, 인맥 NO

스펙, 인맥 NO 스펙, 인맥 NO 스펙, 인맥 NO

멘토와 함께

(150년, A/S, 피드백, 관리)

멘토와 함께
(150년, A/S, 피드백, 관리)
멘토와 함께
(150년, A/S, 피드백, 관리)
멘토와 함께
(150년, A/S, 피드백, 관리)
멘토와 함께
(150년, A/S, 피드백, 관리)
멘토와 함께
(150년, A/S, 피드백, 관리)
멘토와 함께
(150년, A/S, 피드백, 관리)
멘토와 함께
(150년, A/S, 피드백, 관리)
멘토와 함께
(150년, A/S, 피드백, 관리)

평균 희망 은퇴 73세, 현실 은퇴 나이 49세!

100세 시대 언제까지 몸(노동)으로만

일해서 돈을 벌 것인가?

세상, 현실 기준에서 스펙, 돈, 인맥, 자산 등이 없어서 100세까지 노동을 해야 되고 몸까지 아프면 더 답이 없는 상황! 젊을 때는 100가지 중 99가지를 할 수 있지만 나이 들면 100가지 중 99가지를 할 수 없다. 3고 시대, AI 시대, 챗GPT 시대에 자신의 직업이 사라 질 수 있는 상황에서 어떻게 준비, 대비할 것인가?

지금처럼 하면 진짜 큰일 난다.
정신 바짝 차리자!
자신을 못 믿겠으면 자신을 믿어주는
최보규 코칭전문가를 믿고 시작하자!

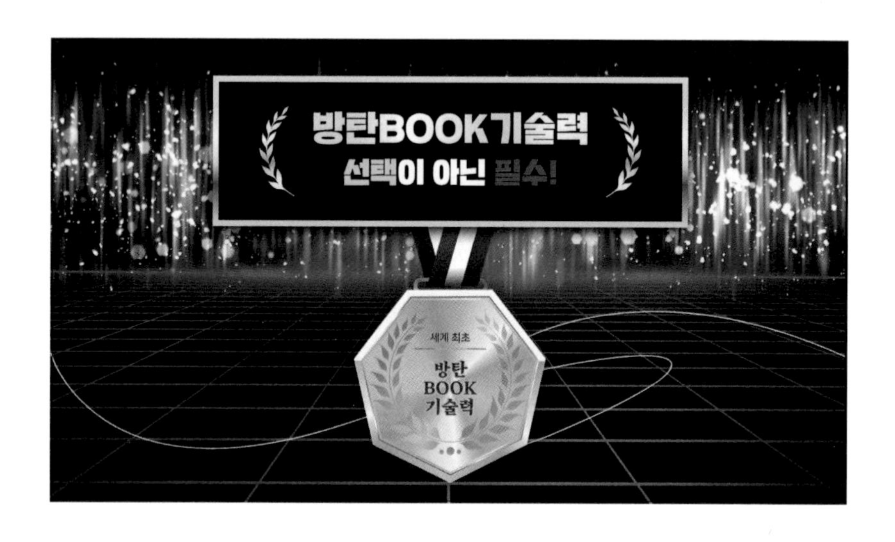
방탄BOOK기술력
선택이 아닌 필수!
세계 최초
방탄
BOOK
기술력

검증된 크몽 디지털콘텐츠
kmong
방탄book기술력창시자
전자책
PPT로 책 출간
6가지 수입 창출
PPT로 종이책 출간, 전자책 출간
100,000원
24시간 무인 시스템
수입 창출 6가지 방법!
전자책 평생 소장하러 바로 가기
NAVER PPT로종이책출간

PPT로 책 출간
당신의 지금 걱정, 고민을 해결해 줄 시스템!
수입 창출 6가지 방법 종이책 평생 소장하기!
Google 자기계발아마존
YouTube 방탄자기계발
NAVER PPT로책출간
NAVER 최보규

최보규 대표
상담, 코칭, 강의, 컨설팅 문의
010-6578-8295
당신을 위한 방탄book기술력은 천재일우
천재일우: 천 년에 한 번 만난다는 뜻으로 좀처럼 만나기 어려운 기회
www.방탄book.com
Google 자기계발아마존
YouTube 방탄자기계발
NAVER 방탄book기술력
NAVER 최보규

돈 버는 기술력 시대!
VS
한번으로 한가지 방법?
1년안에 사라지는
방법?
한번으로 6가지 기술력?
100년 지속 할 수 있는
기술력!

www.방탄자기계발사관학교.com
지금처럼 살 것인가? 지금부터 살 것인가!
3고(고환율, 고금리, 고물가)시대!
통계청 : 현실 은퇴 나이 49세!
www.방탄book.com

www.방탄자기계발사관학교.com
지금처럼 살 것인가? 지금부터 살 것인가!
기본 투잡에 쓰리잡, 포잡...을 해도
은퇴 후 삶, 노후...희망이 안 보이는 상황...
www.방탄book.com

www.방탄자기계발사관학교.com
지금처럼 살 것인가? 지금부터 살 것인가!
내 주제에 뭘 하겠어? 내가 되겠어?.. 라고 말하는 순간
모든 것이 멈추고 핑계를 찾는다! "정신 차려라!"
www.방탄book.com

www.방탄자기계발사관학교.com
지금처럼 살 것인가? 지금부터 살 것인가!
"그래! 나만 힘든 게 아니다! 나 보다 더 어려운 사람들 많다!
어떻게 하면 할 수 있을까?" 라고 말하는 순간
방법을 찾게 된다!
www.방탄book.com

www.방탄자기계발사관학교.com
때를 기다릴 것인가? 때를 만들어 갈 것인가!
20,000명 심리 상담, 코칭으로 알게 된
수입 창출 6가지 기술력
www.방탄book.com

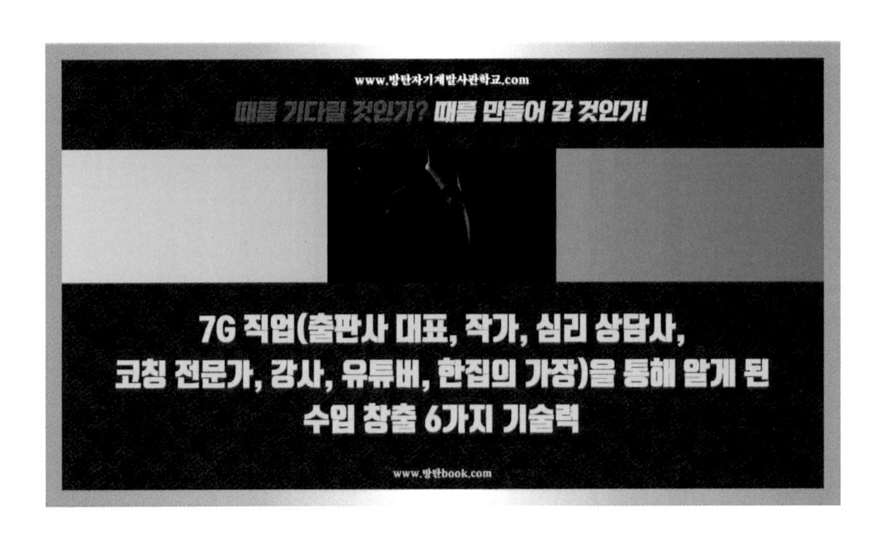
www.방탄자기계발사관학교.com
때를 기다릴 것인가? 때를 만들어 갈 것인가!
7G 직업(출판사 대표, 작가, 심리 상담사,
코칭 전문가, 강사, 유튜버, 한집의 가장)을 통해 알게 된
수입 창출 6가지 기술력
www.방탄book.com

www.방탄자기계발사관학교.com
때를 기다릴 것인가? 때를 만들어 갈 것인가!
15년 강의 6,000회 경력으로 알게 된
수입 창출 6가지 기술력
www.방탄book.com

www.방탄자기계발사관학교.com
때를 기다릴 것인가? 때를 만들어 갈 것인가!
자기계발서 150권 출간
2,000권 독서 / 7,000개 메모로 알게 된
수입 창출 6가지 기술력!
www.방탄book.com

www.방탄자기계발사관학교.com
때를 기다릴 것인가? 때를 만들어 갈 것인가!
집중!
www.방탄book.com

돈 버는 기술력 시대! 당신의 선택은?
VS
대한민국 평균(90%) 책 쓰기
책 한 권 쓰고 출간 후 활용 못해서 3개 월 뒤에 쓰레기 취급 해버리는 책 출간만 하는 책쓰기 교육, 코칭!
세계 최초 6가지 기술력 전수 책쓰기
책 한 권 쓰고 출간해서 100년 지속 할 수 있는 6가지 기술력까지 배워서 6가지 수입을 올리는 책쓰기 기술력 교육, 코칭!

"세계 최초"
방탄 리더 책쓰기
(방탄book출판사의 6가지 수입 자동 시스템 책 출간)
방탄 리더 책쓰기 1
방탄 리더 책쓰기 2
방탄 리더 책쓰기 3
Google 자기계발아마존
YouTube 방탄자기계발
NAVER 방탄 리더 책쓰기
NAVER 최보규

20,000명 심리 상담, 코칭으로 알게 된
20,000명이 바라는
책 쓰기, 책 출간 교육, 코칭 10가지!

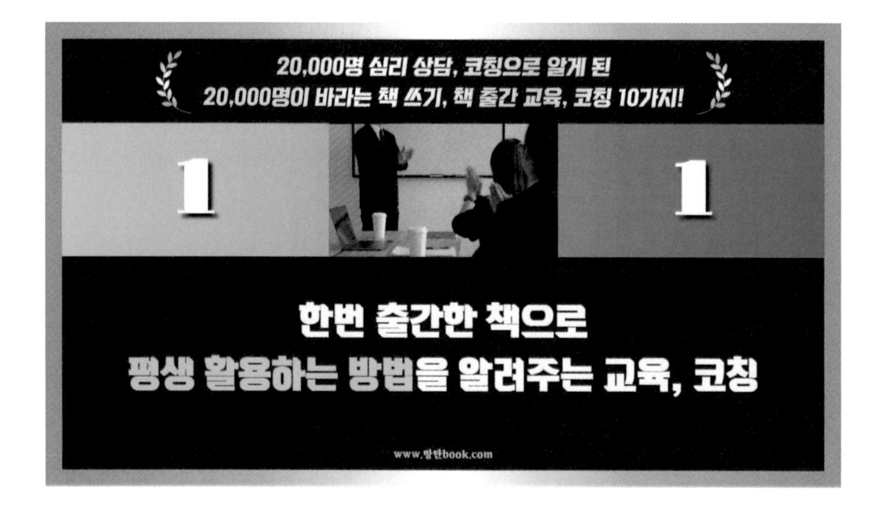
20,000명 심리 상담, 코칭으로 알게 된
20,000명이 바라는 책 쓰기, 책 출간 교육, 코칭 10가지!
1
1
한번 출간한 책으로
평생 활용하는 방법을 알려주는 교육, 코칭
www.방탄book.com

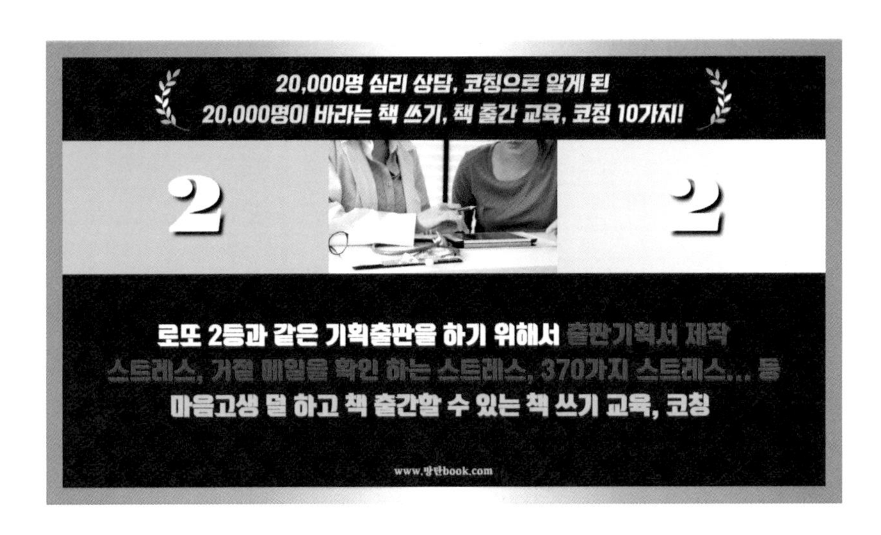
20,000명 심리 상담, 코칭으로 알게 된
20,000명이 바라는 책 쓰기, 책 출간 교육, 코칭 10가지!
2
2
로또 2등과 같은 기획출판을 하기 위해서 출판기획서 제작
스트레스, 거절 메일을 확인 하는 스트레스, 370가지 스트레스... 등
마음고생 덜 하고 책 출간할 수 있는 책 쓰기 교육, 코칭
www.방탄book.com

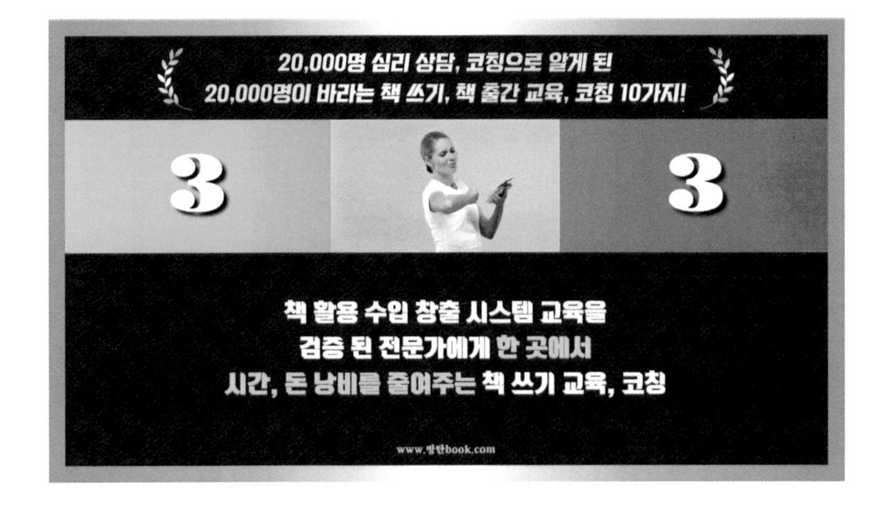
20,000명 심리 상담, 코칭으로 알게 된
20,000명이 바라는 책 쓰기, 책 출간 교육, 코칭 10가지!
3
3
책 활용 수입 창출 시스템 교육을
검증 된 전문가에게 한 곳에서
시간, 돈 낭비를 줄여주는 책 쓰기 교육, 코칭
www.방탄book.com

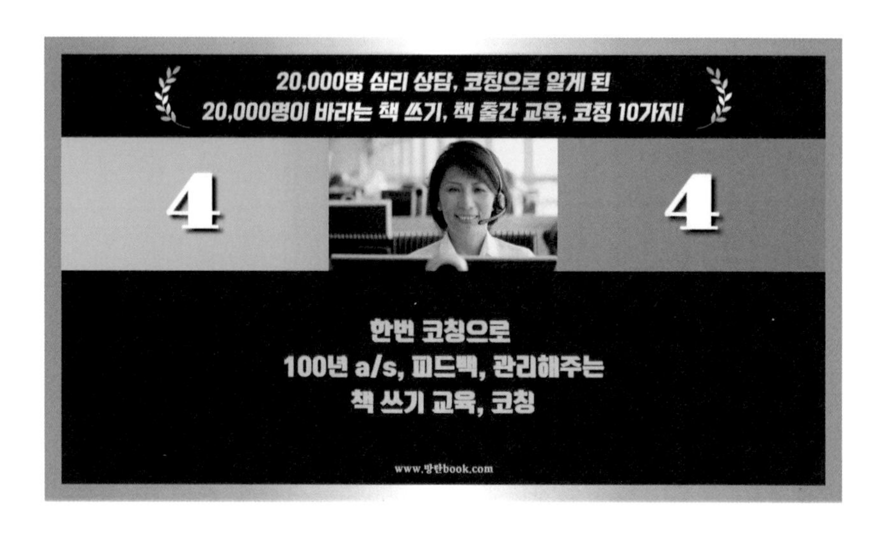
20,000명 심리 상담, 코칭으로 알게 된
20,000명이 바라는 책 쓰기, 책 출간 교육, 코칭 10가지!
4
4
한번 코칭으로
100년 a/s, 피드백, 관리해주는
책 쓰기 교육, 코칭
www.방탄book.com

20,000명 심리 상담, 코칭으로 알게 된
20,000명이 바라는 책 쓰기, 책 출간 교육, 코칭 10가지!
5
5
책 출간 후 자신 분야 삼성(진정성, 전문성, 신뢰성)을 높여
자신 분야 내공, 가치, 몸값까지
올릴 수 있는 책 쓰기 교육, 코칭
www.방탄book.com

20,000명 심리 상담, 코칭으로 알게 된
20,000명이 바라는 책 쓰기, 책 출간 교육, 코칭 10가지!
6
6
출간한 책으로 강사가 되어
은퇴 후 제2의 직업을 할 수 있는 책 쓰기 교육, 코칭
www.방탄book.com

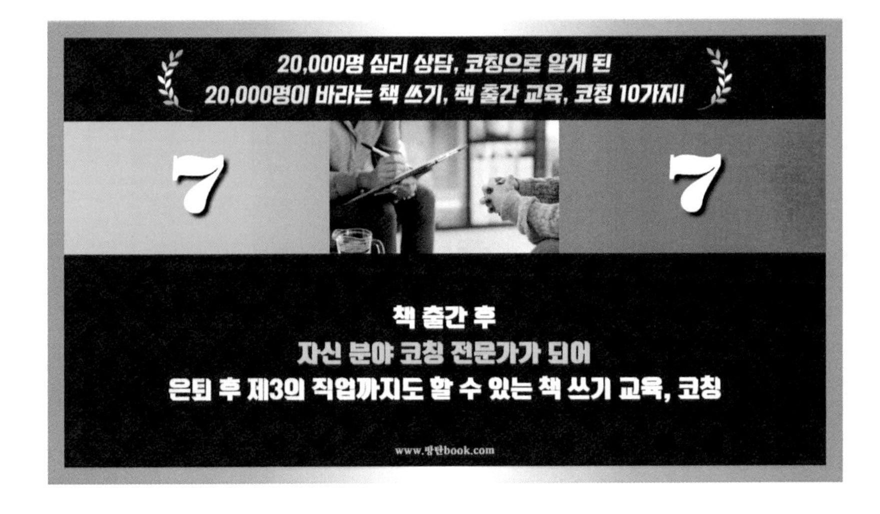
20,000명 심리 상담, 코칭으로 알게 된
20,000명이 바라는 책 쓰기, 책 출간 교육, 코칭 10가지!
7
7
책 출간 후
자신 분야 코칭 전문가가 되어
은퇴 후 제3의 직업까지도 할 수 있는 책 쓰기 교육, 코칭
www.방탄book.com

20,000명 심리 상담, 코칭으로 알게 된
20,000명이 바라는 책 쓰기, 책 출간 교육, 코칭 10가지!
8
8
책 출간 후
온라인 콘텐츠까지 제작을 해서
비수기 없는 책 쓰기 교육, 코칭
www.방탄book.com

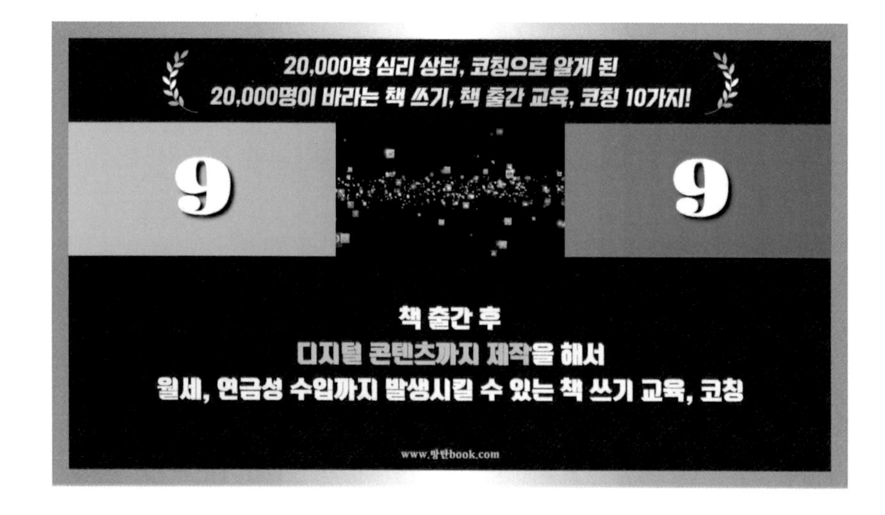
20,000명 심리 상담, 코칭으로 알게 된
20,000명이 바라는 책 쓰기, 책 출간 교육, 코칭 10가지!
9
9
책 출간 후
디지털 콘텐츠까지 제작을 해서
월세, 연금성 수입까지 발생시킬 수 있는 책 쓰기 교육, 코칭
www.방탄book.com

20,000명 심리 상담, 코칭으로 알게 된
20,000명이 바라는 책 쓰기, 책 출간 교육, 코칭 10가지!
10
10
책 한 권 출간하고 끝나는 것이 아니라
100년 동안 책을 무한대로 출간 할 수 있는
책 쓰기, 책 출간 기술력을 교육, 코칭
www.방탄book.com

20,000명이 바라는 책 쓰기, 책 출간
10가지 모두 하고 있는 방탄book출판사
(방탄book출판사의 6가지 수입 자동 시스템 책 출간)
방탄 리더 책쓰기 1
방탄 리더 책쓰기 2
방탄 리더 책쓰기 3
Google 자기계발아마존
YouTube 방탄자기계발
NAVER 방탄 리더 책쓰기
NAVER 최보규

최초! 한 곳에서 100년 활용하는 6가지 기술력을 전수한다!
책 출간으로 삼성 UP
(진정성, 전문성, 신뢰성)
제2의 직업
강사(강사료UP)
(은퇴, 노후 준비)
책 출간으로
몸 값 상승
방 탄
book
제3의 직업
코칭전문가
(은퇴, 노후 준비)
자신분야
온라인 콘텐츠 연결
자신 분야
디지털 콘텐츠 연결
방 탄
book
www.방탄book.com

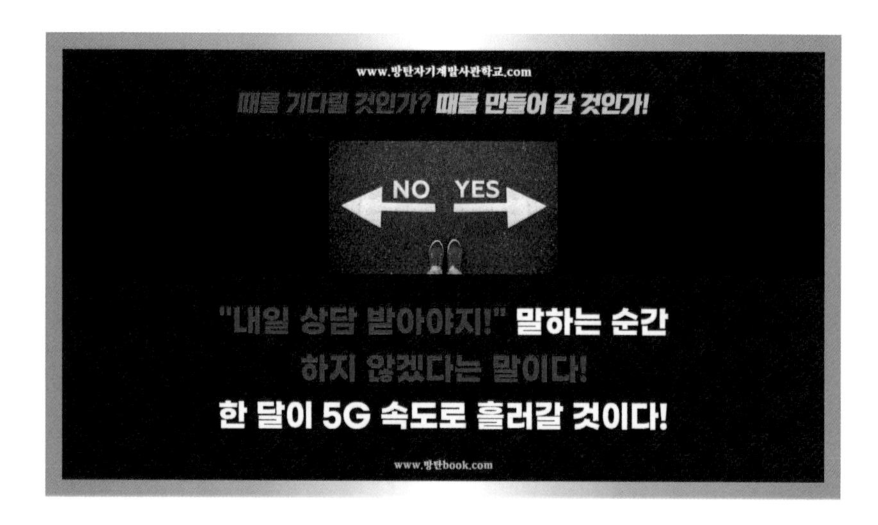
www.방탄자기계발사관학교.com
때를 기다릴 것인가? 때를 만들어 갈 것인가!
NO YES
"내일 상담 받아야지!" 말하는 순간
하지 않겠다는 말이다!
한 달이 5G 속도로 흘러갈 것이다!
www.방탄book.com

www.방탄자기계발사관학교.com
때를 기다릴 것인가? 때를 만들어 갈 것인가!
YES
NO
"다음에 하면 되지!" 말하는 순간
1년이 10G 속도로 흘러갈 것이다!
절대로 하지 않는다는 말이다!
www.방탄book.com

www.방탄자기계발사관학교.com
때를 기다릴 것인가? 때를 만들어 갈 것인가!
내일, 다음, 나중은 없다!
지금 당장 상담 받아라!
최보규 방탄book기술력 창시자 010-6578-8295
www.방탄book.com

방탄리더사관학교
BULLETPROOF LEADER MILITARY ACADEMY
리더십코칭전문가 자격증
(방탄 리더 인재양성)
BL MA
리더는 누구나 되지만
방탄리더는 아무나 될 수 없다!
BLMA

커리큘럼

클래스명	내용	2급 (온,오프라인)	1급 (온,오프라인)
CLASS 1 방탄 리더십 본질	노벨상 수상자 리더십 성공한 리더의 리더십은 다 잊어라!	1H	선택한 과 5H --------- 선택한 분야 5H
CLASS 2 방탄 리더 자존감, 멘탈	스트레스 관리, 마인드컨트롤이 잘 되는 리더 자존감, 멘탈 배터리 고속 충전하는 방법	1H	
CLASS 3 방탄 리더 습관, 행복	삼성(진정성, 전문성, 신뢰성)을 높이는 습관을 통해 리더 행복을 지키는 방법	1H	
CLASS 4 방탄 리더 자기계발 방탄 리더 동기부여	리더 자기계발,동기부여책 200권, 영상 300개, 교육을 들어도 리더 자기계발,동기부여가 안 되는 이유? 방탄 리더십 셀프 충전 사용 설명서 (도구 설명)	1H	
CLASS 5 방탄 리더 품위유지의무	퇴사를 막고 인재가 오래 머물게 하는 방탄 리더 품위유지의무 10계명 총 정리	1H	

국가등록 민간자격증

★ 자격증명: 리더십코칭전문가 2급, 1급
★ 등록번호: 2023-000126
★ 주무부처: 교육부
★ 자격증 종류: 모바일 자격증

방탄리더사관학교
BULLETPROOF LEADER MILITARY ACADEMY

✓ 일시, 시간

▶ 수시 모집 (상담)

▶ 13:00 ~ 18:00 (기본 5시간)
시간 조정 가능!(10H, 15H, 20H)

✓ 자기계발 비용, 인원

▶ 비용 상담

▶ 1:1 코칭(온,오프라인)

✓ 장소, 상담

▶ 장소 상담 후 상황에 따라 변동 사항

▶ 한 번의 상담이 인생 터닝포인트
150년 A/S, 관리, 피드백
최보규 원장 010-6578-8295

리더십코칭전문가 1급

한 개 과 선택! 5시간 집중 코칭!

방탄 리더십과

리더 사명감과	리더 기본기과	리더 태도과
리더십 식스펙(PT)과	리더 감정컨트롤과	리더 인간관계과
리더 소통과	리더 스토리텔링과	리더 스피치과
리더십 은퇴 준비과	리더 천재일우과	리더 7대 의무교육과
리더 자존감과	리더 멘탈과	리더 습관과
리더 행복과	리더 자기계발, 동기부여과	리더 재테크과
리더 방탄book기술력과	리더 책 쓰기, 출간과	리더 유튜버과
리더 강사과	리더 코칭과	리더 인재양성과

리더십코칭전문가2급 필기/실기

#. 자격증 검증비, 발급비 50,000원 발생
(입금 확인 후 시험 응시 가능)

▶ 0강~10강(객관식):(10문제 = 6문제 합격)

▶ 11강(주관식):(10문제 = 6문제 합격)

▶ 시험 응시자 문자, 메일 제목에 리더십코칭전문가 2급 시험 응시합니다.
최보규 010-6578-8295 / nice5889@naver.com

▶ 네이버 폼으로 문제를 보내주면 1주일 안에 제출!
합격 여부 1주일 안에 메일, 문자로 통보!
100점 만점에 60점 안되면 다시 제출!

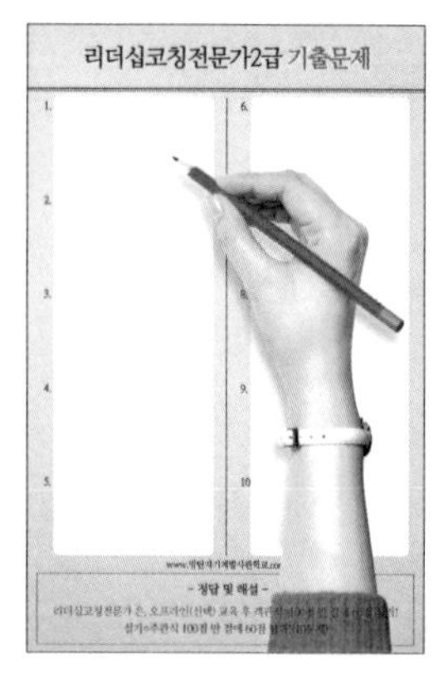

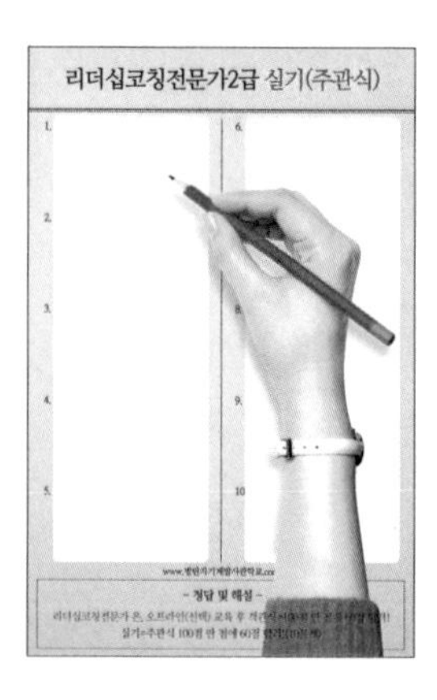

리더십코칭전문가1급 필기/실기

리더십코칭전문가2급 취득 후 온라인(줌), 오프라인 선택 후 방탄리더사관학교 25가지 과에서 한개 과 선택!

한 분야 5시간 집중 코칭 후 2급과 동일하게 필기시험, 실기시험 (코칭 비용 상담)

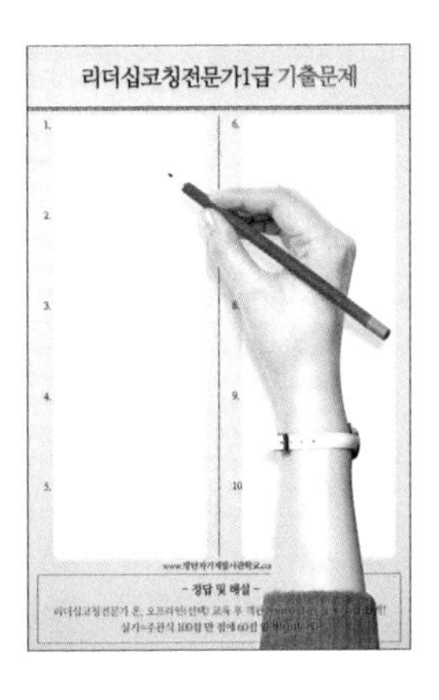

리더십코칭전문가1급 기출문제
1.
2.
3.
4.
5.
6.
8.
9.
10
- 정답 및 해설 -

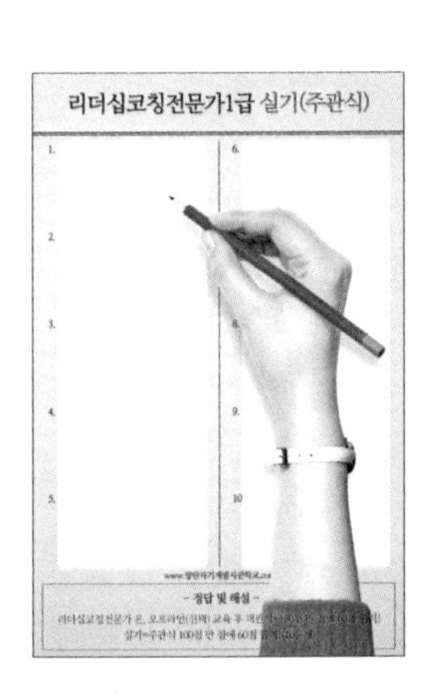

자신 분야 스펙, 내공, 가치, 값어치
카페에서 냅킨에
그린 그림이 1억?

카페에 피카소가 앉아 있었습니다. 한 손님이 다가와 종이 냅킨 위에 그림을 그려 달라고 부탁했습니다. 피카소는 상냥하게 고개를 끄덕이곤 빠르게 스케치를 끝냈습니다. 냅킨을 건네며 1억 원을 요구했습니다.
손님이 깜짝 놀라며 말했습니다. 어떻게 그런 거액을 요구할 수 있나요? 그림을 그리는 데 1분밖에 걸리지 않았잖아요. 이에 피카소가 답했습니다.

아니요. 40년이 걸렸습니다. 냅킨의 그림에는 피카소가 40여 년 동안 쌓아온 노력, 고통, 열정, 명성이 담겨 있었습니다. 피카소는 자신이 평생을 바쳐서 해온 일의 가치를 스스로 낮게 평가하지 않았습니다.

《확신》

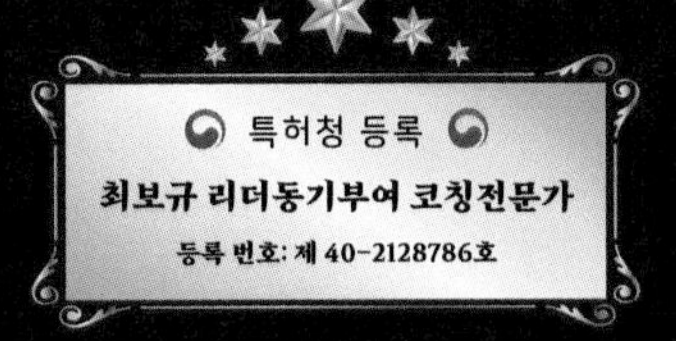

★★★★★ 차별이 아닌 초월 시스템 ★★★★★

누구나 방탄 리더가 될 수 있었다면
난 절대로 방탄리더사관학교를 선택하지 않았을 것이다!

Google 자기계발아마존 | YouTube 방탄자기계발 | NAVER 방탄리더사관학교 | NAVER 최보규

이코노미 방탄 리더PT

기본 5H : 3,000,000원

CHECK POINT

- ☑ 기본 1회(1일=5H)
- ☑ 방탄 리더십 기본 교육(자격증 포함)
- ☑ 150년 A/S, 관리, 피드백

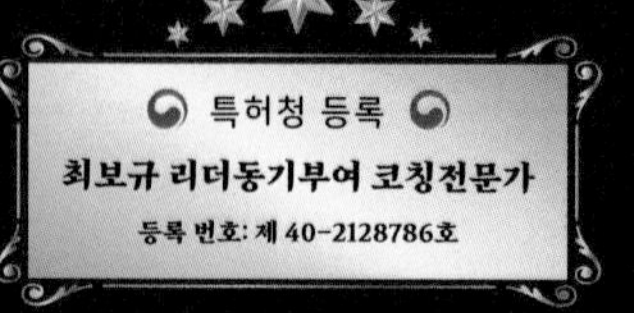

★★★★★ 차별이 아닌 초월 시스템 ★★★★★

누구나 방탄 리더가 될 수 있었다면
난 절대로 방탄리더사관학교를 선택하지 않았을 것이다!

Google 자기계발아마존 | YouTube 방탄자기계발 | NAVER 방탄리더사관학교 | NAVER 최보규

비지니스 방탄 리더PT

기본 10H : 5,000,000원

CHECK POINT

- ☑ 기본 1회(1일=5H/2회)
- ☑ 방탄 리더십 중급 교육(자격증 포함)
- ☑ 150년 A/S, 관리, 피드백

★★★★★ 차별이 아닌 초월 시스템 ★★★★★

누구나 방탄 리더가 될 수 있었다면
난 절대로 방탄리더사관학교를 선택하지 않았을 것이다!

Google 자기계발아마존 | YouTube 방탄자기계발 | NAVER 방탄리더사관학교 | NAVER 최보규

퍼스트클래스 방탄 리더PT

기본 25H : 10,000,000원

CHECK POINT

- 기본 1회(1일=5H/5회)
- 방탄 리더십 고급 교육(자격증 포함)
- 150년 A/S, 관리, 피드백

방탄 리더십 시스템 PT
★★★★★ 차별이 아닌 초월 시스템 ★★★★★
방탄 리더십과
리더 사명감과
리더 기본기과
리더 태도과
리더십 식스펙(PT)과
리더 감정컨트롤과
리더 인간관계과
리더 소통과
리더 스토리텔링과
리더 스피치과
리더십 은퇴 준비과
리더 천재일우과
리더 7대 의무교육과
리더 자존감과
리더 멘탈과
리더 습관과
리더 행복과
리더 자기계발, 동기부여과
리더 재테크과
리더 방탄book기술력과
리더 책 쓰기, 출간과
리더 유튜버과
리더 강사과
리더 코칭과
리더 인재양성과

특허청 등록
최보규 리더동기부여 코칭전문가
등록 번호: 제 40-2128786호
명품 자기계발
명품 동기부여
차별이 아닌 초월 시스템
누구나 방탄 리더가 될 수 있었다면
난 절대로 방탄리더사관학교를 선택하지 않았을 것이다!
Google 자기계발아마존
YouTube 방탄자기계발
NAVER 방탄리더사관학교
NAVER 최보규
방탄 리더십 코칭 전문가 속성 PT
방탄 리더십
기본 50H : 20,000,000원~
CHECK POINT
기본 1회(5H) / (10회)
25개과 속성 PT 과정
150년 A/S, 피드백, 관리

특허청 등록
최보규 리더동기부여 코칭전문가
등록 번호: 제 40-2128786호
명품 자기계발
명품 동기부여
차별이 아닌 초월 시스템
누구나 방탄 리더가 될 수 있었다면
난 절대로 방탄리더사관학교를 선택하지 않았을 것이다!
Google 자기계발아마존
YouTube 방탄자기계발
NAVER 방탄리더사관학교
NAVER 최보규
방탄 리더십 코칭 전문가 6개월 PT
방 탄
book 기술력
전문가
기본 30H : 30,000,000원~
CHECK POINT
기본 1회(5H) / (10회)
25개과 6개월 시스템 PT 과정
150년 A/S, 피드백, 관리

방탄리더사관학교 소개

세상에는 4대 사관학교가 있다. 육군사관학교, 해군사관학교, 공군사관학교, 방탄리더사관학교가 있다. 육군사관학교, 해군사관학교, 공군사관학교는 체계적인 시스템 속에서 군인정신 학습, 연습, 훈련을 통해 정예 장교(군 리더, 군사 전문가)를 육성하는 사관학교다.

방탄리더사관학교는 체계적인 시스템 속에서 방탄 리더십 25가지 시스템 학습, 연습, 훈련을 통해 정예 리더(방탄 리더, 방탄 리더십 전문가)를 양성하는 사관학교다.

누구나 리더가 된다. 하지만 방탄 리더는 아무나 될 수 없다. 누구나 방탄 리더가 될 수 있었다면 난 절대로 방탄리더사관학교를 선택하지 않았을 것이다.

방탄리더사관학교
BULLETPROOF LEADER MILITARY ACADEMY
리더
책 쓰기, 출간과
방탄 리더 책쓰기 1
"세계 최초" 방탄 리더 책쓰기!
BOOKK
<저자 최보규>
리더 자신 분야 삼성(진정성, 전문성, 신뢰성)을 올리는 최고의 자기계발은 책 쓰기, 책 출간이다!

Class 21. 리더 책 쓰기, 출간과

- 리더 자신 분야 삼성(진정성, 전문성, 신뢰성)을 올리는 최고의 자기계발은 책 쓰기, 책 출간이다!

★ 자신 분야 삼성(진정성, 전문성, 신뢰성)을 올리는 최고의 자기계발은 책 쓰기, 책 출간이다!

리자신 분야 삼성(진정성, 전문성, 신뢰성)을 올리는
최고의 자기계발은 책 쓰기, 책 출간이다!
책을 출간한다고 다 전문가가 되는 게 아니다!
하지만 전문가들은 책을 출간한다.
자신 분야 삼성(진정성, 전문성, 신뢰성)을
단기간에 올리고
시간, 돈 낭비를 줄여주는 최고의 방법이 책 출간이다!

세상에는 두 가지 종류에 지식이 있다. "아는데요!" 설명을 못하는 지식과 설명을 할 수 있는 지식이 있다. 진짜 지식은 설명까지 할 수 있어야 한다.

설명에서 한 차원 더 높은 것은 누구나 알아볼 수 있게 정리를 해서 쓰는 것이고 책을 출간하면 진짜 전문가가 되는 것이다. 그래서 자신 분야 전문 책이 있는 사람과 자신 분야 전문 책이 없는 전문가는 개미와 코끼리 차이다.

진짜 전문가가 되고 싶다면 설명할 수 있는 건 당연한 것이고 나를 똑같이 닮은 인재를 복제를 할 수는 없겠지만 복제가 가능한 매뉴얼, 시스템을 만들어 책으로 출간한다면 진정한 자신 분야 전문가가 되는 것이고 자부심, 사명감이 생긴다.

자신 분야 삼성(진정성, 전문성, 신뢰성)을 올리는 최고의 자기계발은 책 쓰기, 책 출간이다. 경력은 스펙이 아니지만 책을 쓰면 강력한 스펙이 된다.

지금은 경력이 10년, 20년, 30년...경력만 있는 사람을 전문가라 말하지 않는다. 그런 전문가들은 천지빼까리(국어사전: 너무 많아서 그 수를 다 헤아릴 수 없을 때 쓰는 말)이다.

경력을 무시하는 게 아니다. 전문가의 본질을 말 하는 것이다. 경력으로만 전문가라 말하는 시대는 끝났다. 지금 시대는 가짜 전문가가 너무 많기에 자신 분야 전문 책이 있어야 전문가라고 말을 할 수 있다.

경력만 있는 사람들 특징은 머리에만 노하우가 많다. 머리에 있는 노하우를 책으로 출간한다면 진짜 전문가가 되는 것이다. 자신 분야를 정리를 해서 말만 하는 사람과, 정리해서 책을 출간한 사람 중에 어떤 사람이 더 전문가라고 말 할 수 있을까?

전문가라고 말을 하려면 증명할 수 있는 자료, 책이 있어야 한다. 전문 분야가 있다면 무조건 책을 써야 하고 책 출간을 해야 하는 건 아니다. 한번 생각해 보라! 전문 서적이 있는 전문가와 전문 서적이 없는 전문가를 봤을 때 어떤 사람을 진짜 전문가라고 인정하겠는가?

"이 전문가는 다른 전문가와 별 차이 없네."라고 느낌을 주면 전문가의 믿음, 신뢰, 비전을 느끼지 못한다.

"이 전문가는 다른 전문가와 다르다"라는 것을 보여 줄 때 전문가의 믿음, 신뢰, 비전이 보이는 것이다.

전문가가 자신 전문 분야 책을 출간했다고
사람들에게 믿음, 신뢰, 비전을 준다는 보장은 없다.
하지만 책을 출간한 대부분 전문가들은
사람들에게 믿음, 신뢰, 비전을 준다!
출간한 책 안에는 전문가의 목표, 방향, 비전이 있다!

전문가도 같은 전문가가 아니다. 경력만 있는 전문가가 있는 반면 검증 받은 전문 분야가 있는 전문가가 있다. 경력이 같은 전문가가 있다고 가정 했을 때 스피치, 표정, 행동으로 어떤 전문가가 더 내공이 느껴지는지 알 수도 있지만 표면적으로 증명할 수 있는 스펙이 있어야만 대중들은 인정을 한다는 것이다.

지금 시대는 학위보다 더 인정받는 것이 자신 분야 전문 서적이다. 이제는 경력만 쌓으면 안 된다. 경력을 표면적으로 증명할 수 있는 강력한 플랫폼인 전문 서적을 출간해야 한다.

포트폴리오 커리어 리더는 자신 분야 작가가 되어야 한다. 자신 분야를 매뉴얼, 시스템을 자료화할 수 있는 책을 쓰고 책 출간을 해야 강력한 스펙이 된다.

표면적으로 보여 줄 것이 없어서 말로만 가르치려 리더.

"내가 말이야! 나 때는 말이야! 내가 했던것들과 내 스펙이 좋았어. 보여 줄 것은 없어서 표현할 방법이 없지만. 왕년에는 그 누구도 나만큼 전문성이 있는 사람은 없었고 따라 올 수가 없었어. 내가 하고 있는 분야에서 만큼은 최고였어."

자신 분야를 매뉴얼, 시스템화 한 책을 출간해서 어필하는 리더.

"전문성을 말로만 어필하는 사람이고 싶지 않습니다. 제가 지금까지 제 분야를 어떤 마음, 목표, 스킬로 했는지 내 분야 매뉴얼, 시스템을 만들었는지 출간한 책이 부연 설명이 될 것입니다. 매뉴얼, 시스템을 토대로 좀 더 자세히 설명하겠습니다."

★ 자신 분야 전문 서적이 없는 전문가와 자신 분야 전문서 적이 있는 전문가 차이점

책 쓰기, 책 출간과 직접적으로 연결되어 있는 직업이 강사 직업이다. 그래서 전문서적이 있는 강사와 전문서적이 있는 강사를 비교해 주겠다. 자신 분야와 접목을 해서 본다면 도움이 될 것이다.

강사 경력 15년 차인 A라는 강사는 강의 경력 15년이 전부다. 표면적으로 보여 줄 수 있는 스펙은 강의 했던 업체명 밖에 없다. 그 강사를 무시하는 게 아니다. 현실을 직시 해보자는 것이다.

강사 경력 15년 차인 B라는 강사는 강사를 양성하는 강사 백과사전 2권 출간 외 자기계발 책 100권을 출간했다.

어떤 강사가 더 전문가라고 느껴지는가? 누구한테 물어보더라도 자신 분야 전문 책이 있는 사람을 전문가라고 할 것이다.

지금 시대는 석사, 박사 학위만큼 인정해주는 것이 자신 분야 전문 분야 책이다. 책을 출간한다고 전문가가 되진

않는다. 하지만 전문가들은 자신 분야 책이 3~4권이 있다.

그래서 자신 분야 전문가라고 말을 하려면 자신 분야 책을 쓰고 출간하기 위해서 모든 걸 집중해야 한다.

경력은 스펙이 아니다!
경력만 있는 사람을 전문가라고 하지 않는다!

강사 경력 15년 차
전문 분야가 있지만
표면적으로
증명할 수 있는 것이 없다!

코칭 경력 15년 차
전문 분야 책 100권 출간
★ 특허청 등록 ★
제40-2072344호
최보규 자기계발코칭 창시자
제40-2128786호
최보규 리더동기부여 코칭전문가

강사 경력 15년 차

경력만 있다.

★ 책 쓰기, 책 출간 본질을 모르면 책 쓸 자격이 없고 시간, 돈 낭비만 한다!

인간이 하는 모든 것의 본질을 알아야만 노오력이 아니라 올바른 노력을 할 수 있다. 노력은 경험만 채우고 시간만 때우는 것이다. 지금 시대는 노력이 배신하는 시대다.

올바른 노력은 어제보다 0.1% 다르게, 변화, 나음, 성장하는 것이다.

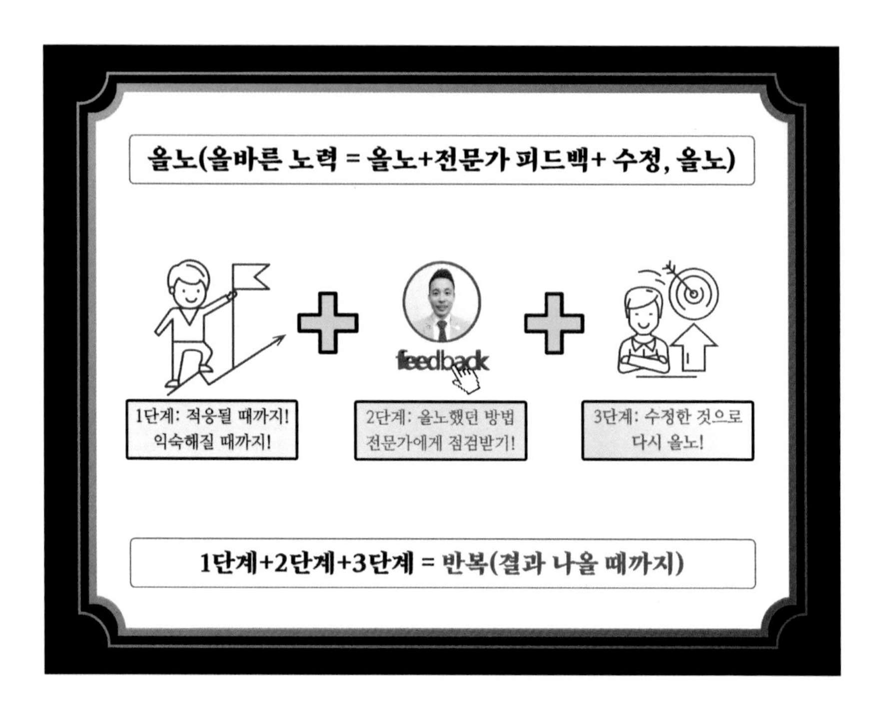

책 쓰기, 책 출간 본질을 알아야 노오력이 아닌 올바른 노력을 할 수 있다.

운동의 본질은 헬스, 운동의 기본기를 배우지 않는 사람이 좋은 헬스장으로 옮긴다고 헬스, 운동 습관이 만들어지는 것이 아니다.
직장의 본질은 월급 날짜만 기다리는 사람이 직장을 바꾼다고 일에 대한 의욕이 생기지 않는다.
사랑의 본질은 평상시에 사랑받을 행동을 안 하는 사람은 사랑하는 사람이 생겨도 사랑받을 수가 없다.
인간관계의 본질은 내가 좋은 사람이 되기 위해 학습,

연습, 훈련을 안 하면 좋은 사람이 생겨도 금방 떠나간다.
자기계발, 동기부여 본질은 "어제 보다 0.1% 나은 사람이 되자."라는 태도로 꾸준히 자기계발, 동기부여하지 않으면 시간, 돈 낭비를 한다.
리더십의 본질은 경력, 나이를 내세우면서 시대에 맞는 리더십으로 업데이트하지 않으면 리더십이 아닌 꼰대십(리더병)이 나온다. 꼰대십(리더병)이 생기면 "위치가 사람을 만드는 것이 아니라 위치가 사람을 망쳐버린다."
책 쓰기, 책 출간의 본질은 평상시 독서를 하지 않은 사람은 책 가치, 내공, 값어치가 나오지 않는다. 독서와 책 가치, 내공, 값어치는 비례한다.

오로지 베스트셀러(돈)가 되기 위해 집착하는 책 쓰기, 출간이 아닌 자신을 알고 있는 가족, 친구, 지인들이 읽었을 때 "유명한 책들 보다 읽었던 책 중에 베스트다." 라고 인정받는 책 쓰기, 책 출간을 해야 한다.

본질의 힘
본질을 모르면 시간, 돈, 인생
낭비가 되어 악순환이 반복된다.
헬스, 운동의 본질
직장, 일의 본질
연애, 사랑의 본질
인간관계의 본질
자기계발, 동기부여의 본질
리더십의 본질
책 쓰기, 책 출간의 본질

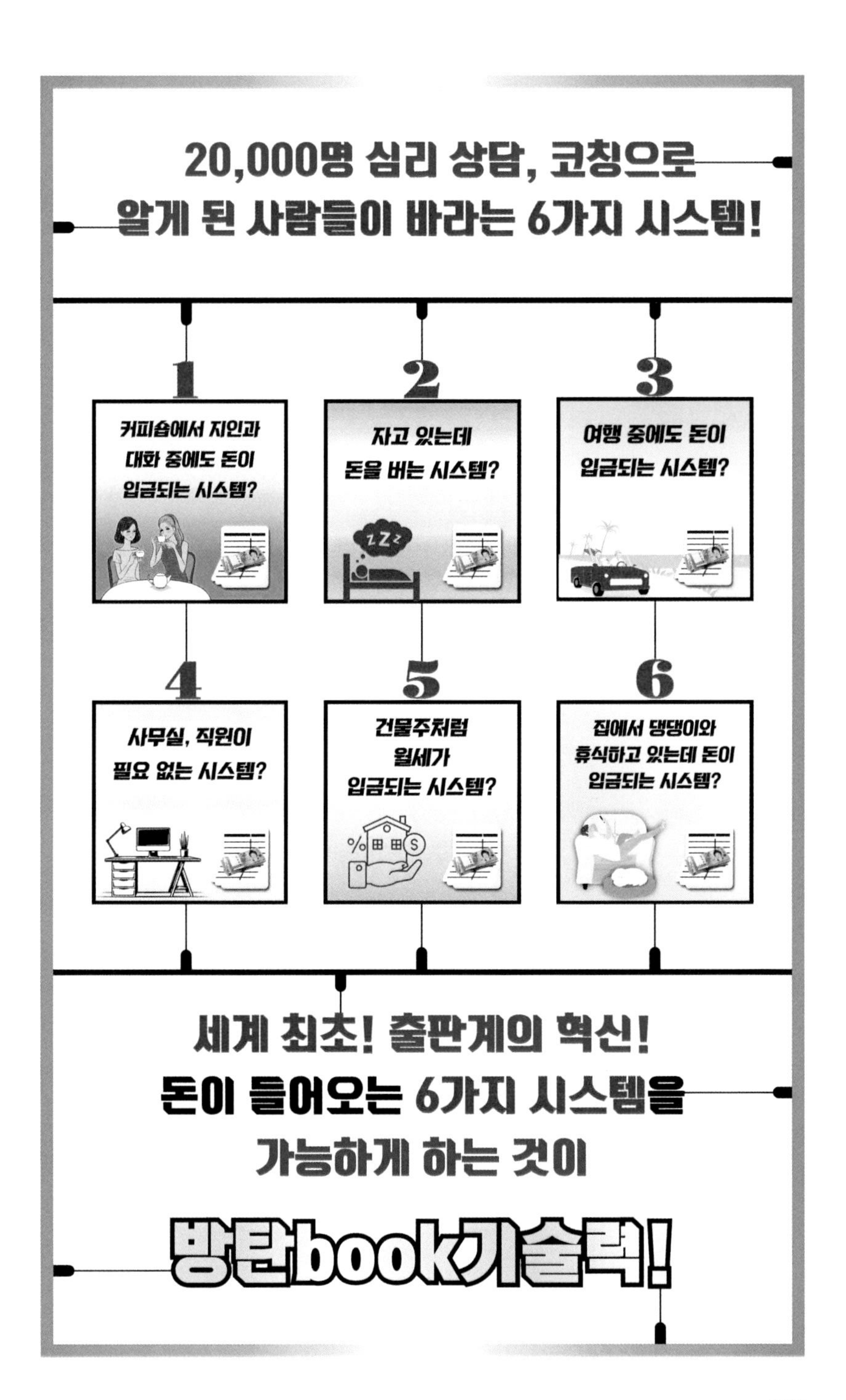
20,000명 심리 상담, 코칭으로
알게 된 사람들이 바라는 6가지 시스템!
1
커피숍에서 지인과
대화 중에도 돈이
입금되는 시스템?
2
자고 있는데
돈을 버는 시스템?
3
여행 중에도 돈이
입금되는 시스템?
4
사무실, 직원이
필요 없는 시스템?
5
건물주처럼
월세가
입금되는 시스템?
6
집에서 댕댕이와
휴식하고 있는데 돈이
입금되는 시스템?
세계 최초! 출판계의 혁신!
돈이 들어오는 6가지 시스템을
가능하게 하는 것이
방탄book기술력!

★ 책 쓰기 목표, 방향이 없으면 절대로 순풍이 불지 않는다!

10년 전보다 책 쓰는 환경이 너무나도 좋아졌다. 일반인들이 봤을 때는 책 쓰는 문턱이 너무나도 높아 보이지만 필자가 100권을 출간하면서 알게 된 것은 문턱이 그렇게 높지 않다는 것을 알게 되었다. 속된 말로 강사는 개나, 소나, 고양이나 하듯 책 출간도 개나, 소나, 닭이나 한다. "이 정도 내용의 책은 나도 쓰겠다. 책 값어치를 못한다."라고 느끼는 책들이 많아졌다.

오해하지 말고 들었으면 한다! 책 출간을 한 권도 안 한 사람들, 책을 대충 쓴 사람들을 무시하는 게 아니다. 냉정하게 현실을 직시해 보자는 것이고 책 쓰기, 책 출간 환경을 알아야만 자신 책을 제대로 쓸 수가 있는 것이다. 어떤 분야든 마찬가지이다. 자신이 하고 있는 분야 환경, 흐름, 트랜드를 알아야만 대처를 할 수 있고 변화, 준비를 해서 살아남을 수 있는 것이다.

보통 사람이 트랜드를 모르면 큰 문제가 되지 않지만
전문가가 자신 분야 트랜드를 모르면
큰 문제인 짝퉁 취급을 받는다.

2024 2025 2026
2027 2028 2029
2030 2031 2032

책 한 권은 작가의 30년
시행착오, 대가 지불, 인고의 시간
내공, 노하우가 담겨 있다!

10년 전에는 10권 중에 5권 정도가 책의 내공이 있었다.
지금은? 10권 중에 2권 정도다!

10년 전

현재

"한 권의 책은 그 사람의 30년 시행착오, 대가 지불, 인고의 시간, 내공이 들어있어서 한 권으로 배우는 것이다."라는 말을 들어봤을 것이다.

10년 전에는 이 말에 맞게 10권 중에 5권 정도는 내공이 담겨 있었다. 지금은 10권 중에 1권~2권 정도만 내공이 담겨 있다.

왜 그럴까?
대충 책 쓰기 교육, 코칭 하는 사람이 많아지다 보니 대충 쓰는 사람이 많아졌다는 것이다.

책 출간과 책 쓰기가 자신 분야 자기계발 하는데 최고지만 버킷리스트여서 책을 쓰고 싶다? 팔 목적이 아니다, 돈 벌 목적이 아니다, 소장하기 위해서 책 쓰고 싶다? 내 이름 그냥 석 자 남기고 싶어서 책 쓰고 싶다? 이런 목표로 책을 쓰고 출간하는 사람들이 많다. 이런 사람들을 잘못됐다고 말하는 게 아니다. 오해하지 말고 듣길 바란다!

20,000명 심리 상담, 코칭 하면서 알게 된 것은 대부분 사람들이 대책 없이, 계획 없이, 의미 없이 책을 써서 100%, 200%, 300% 후회를 한다는 것이다. 후회 안 하는 사람이 없는 건 아니지만 대부분 사람들은 처음에는 가벼운 마음으로 책을 출간했는데 출간한 책으로 6가지 수입을 발생시킬 수 있는 방법(방탄book기술력)을 코칭 받고 나서는 땅을 치고 후회를 한다는 것이다.

필자에게 코칭 받는 사람들 100%가 이런 말을 했다.
"다 필요 없이 책 한 권 출간하면 좋겠다. 이런 마음으로 책을 쓰기 위해 검증 안 된 전문가에게 교육, 코칭을 받고 책을 출간했는데... 책 출간 3개월 후 라면 받침대 되어버리는 상황... 처음부터 6가지 수입을 발생시킬 수 있는 방탄book기술력을 교육, 코칭 받았다면 돈, 시간 낭비를 줄일 수 있었을 텐데 뒤늦게 알게 돼서 너무 후회가 됩니다."라는 하소연을 하는 분들에게 늘 하는 말이 있다.

"안 좋은 경험을 했기에 6가지 수입을 발생시킬 수 있는 방법(방탄book기술력)이 좋다는 것을 뒤늦게나마 깨달을 수 있었던 것입니다. '더 늦기 전에 지금이라도 만나서 다행이다.'라고 생각하시면 됩니다."

책은 누구나 쓸 수 있지만 아무나 쓸 수 없다는 말이 있다. 아무나 쓸 수 없다는 말이 무슨 말일까?

어떤 의미부여, 목표, 방향으로 쓰느냐에 따라서 아무나 '쓰냐! 아무나 못 쓰냐!' 로 나누어진다.

인생도 어떤 의미, 목표, 방향에 따라 삶의 질이 완전히 달라지듯이 책 쓰기도 마찬가지라는 것이다.

의미부여, 목표, 방향 없이 산다고 삶의 질이 안 좋아지는 건 아니다. 단언컨대 삶의 질, 인생의 질, 행복의 질이 좋은 사람들 90%는 인생 의미, 목표, 방향이 있다는 것이다. 책 쓰기도 의미부여, 목표, 방향이 중요하다고 강조하는 것이다. 특히 전문 분야가 있는 전문가의 책 쓰기, 책 출간 자기계발은 의미부여, 목표, 방향이 분명해야 한다. 전문가가 쓴 책을 보고 대중들은 믿음, 신뢰, 비전, 방향을 느끼기 때문이다.

목표, 방향이 그 무엇보다 중요하다고 알려주는 하버드 대학교에서 연구한 스토리텔링이다.

얼마나 오래 할 거니?
심리학자 맥퍼슨은 악기를 연습 중인 어린이 157명을 추적해 보았다. 9개월쯤 후부터 아이들의 실력이 크게 벌어졌다.
"거참 이상하네, 연습량도 똑같고 다른 조건도 다 비슷한데 도대체 왜 차이가 벌어지는 걸까?"
그는 문득 연습을 시작하기 전 아이들에게 던졌던 질문을 떠올렸다.
"넌 음악을 얼마나 오래 할 거니?"
아이들의 대답은 크게 세 가지였다.
"전 1년만 하다가 그만둘 거예요."
"전 고등학교 졸업할 때까지만 할 거예요."
"전 평생 하며 살 거예요"
아이들의 실력을 비교해 보고 깜짝 놀랐다. 평생 연주할 거라는 아이들의 수준이 1년만 하고 그만둘 거라는 아이들보다 훨씬 높았기 때문이었다.
똑같은 기간 동안 연습을 했는데도 말이다.

《왓칭》

목표, 방향, 의미부여가 없이 잘하는 사람도 있긴 있다. 하지만 그 사람들은 극히 0.1%로 극히 드물다는 것이다. 자신은 목표, 방향, 의미부여 없이도 가능한 사람인지 있어야 되는 사람인지는 시도를 해보고 나다운 방식을 만들면 된다. 하지만 대부분 실력이 향상되고 결과를 내는 사람들 특징은 목표, 방향, 의미부여가 처음부터 잘 되었다는 것이다.

책 쓰기, 인생, 세상이라는 바다에서
의미부여, 목표, 방향이 없으면
순풍은 불지 않는다!
의미부여
목표
방향

★ 취미나 자신의 만족으로 끝나는 책 쓰기, 책 출간이 아닌 자신 분야를 무한으로 연결시킬 수 있는 온라인 건물주 되는 방탄 책 쓰기!(방탄book 기술력)

책 쓰기, 책 출간을 처음부터 "그냥 그냥 내 이름 석 자 남기는 거야! 버킷리스트여서 대충 한 권 출간하고 말 거예요! 그냥 소장하기 위해서 쓰는 거예요! 베스트셀러 필요 없어요! 그냥 내 만족이에요!" 이런 의도로 책을 쓴다는 게 잘못됐다고 말하는 게 아니다. 다시 한 번 말하지만 오해하지 말고 들었으면 한다!

그런 마음으로 책 쓴 사람들이 책 출간을 하고 나서 제2수입, 제3수입을 연결하려고 코칭을 받은 후에 후회를 하기 때문에 강조하면서 말을 하는 것이다.

대충 자기만족으로 그냥 썼는데 책 내공, 책 가치, 책이 주는 메시지가 있겠는가? 누가 보겠는가? 보더라도 책값어치를 못해서 욕한다는 것이다. 그래서 어떤 일을 시작할 때, 책을 쓸 때, 책을 출간하고 나서 자신 분야와 연결할 수 있는 고리를 생각하고 책 쓰기, 책 출간을 해야 한다.

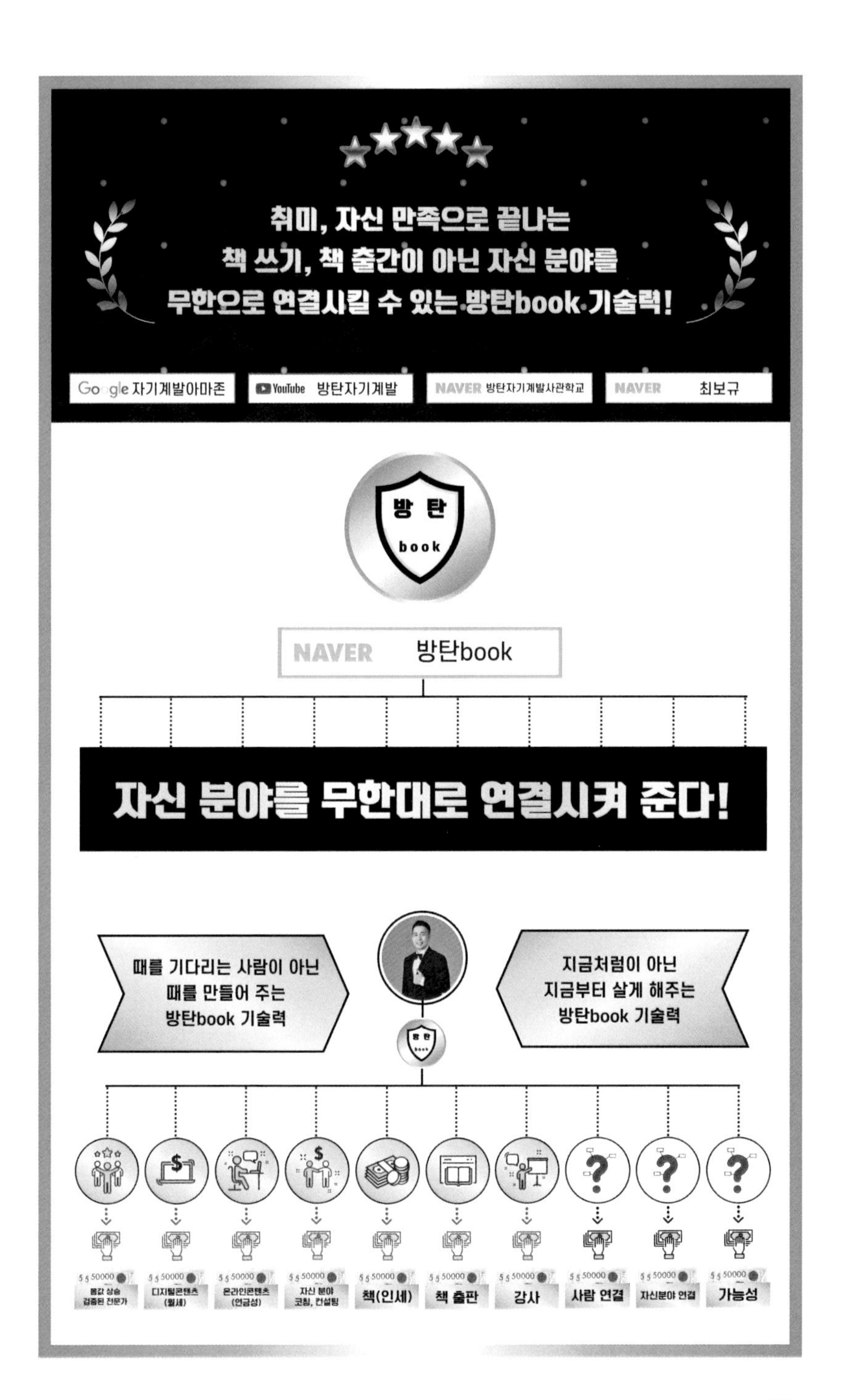
취미, 자신 만족으로 끝나는
책 쓰기, 책 출간이 아닌 자신 분야를
무한으로 연결시킬 수 있는 방탄book 기술력!
Google 자기계발아마존
YouTube 방탄자기계발
NAVER 방탄자기계발사관학교
NAVER 최보규
방탄 book
NAVER 방탄book
자신 분야를 무한대로 연결시켜 준다!
때를 기다리는 사람이 아닌
때를 만들어 주는
방탄book 기술력
지금처럼이 아닌
지금부터 살게 해주는
방탄book 기술력
몸값 상승 검증된 전문가
디지털콘텐츠 (월세)
온라인콘텐츠 (연금성)
자신 분야 코칭, 컨설팅
책(인세)
책 출판
강사
사람 연결
자신분야 연결
가능성

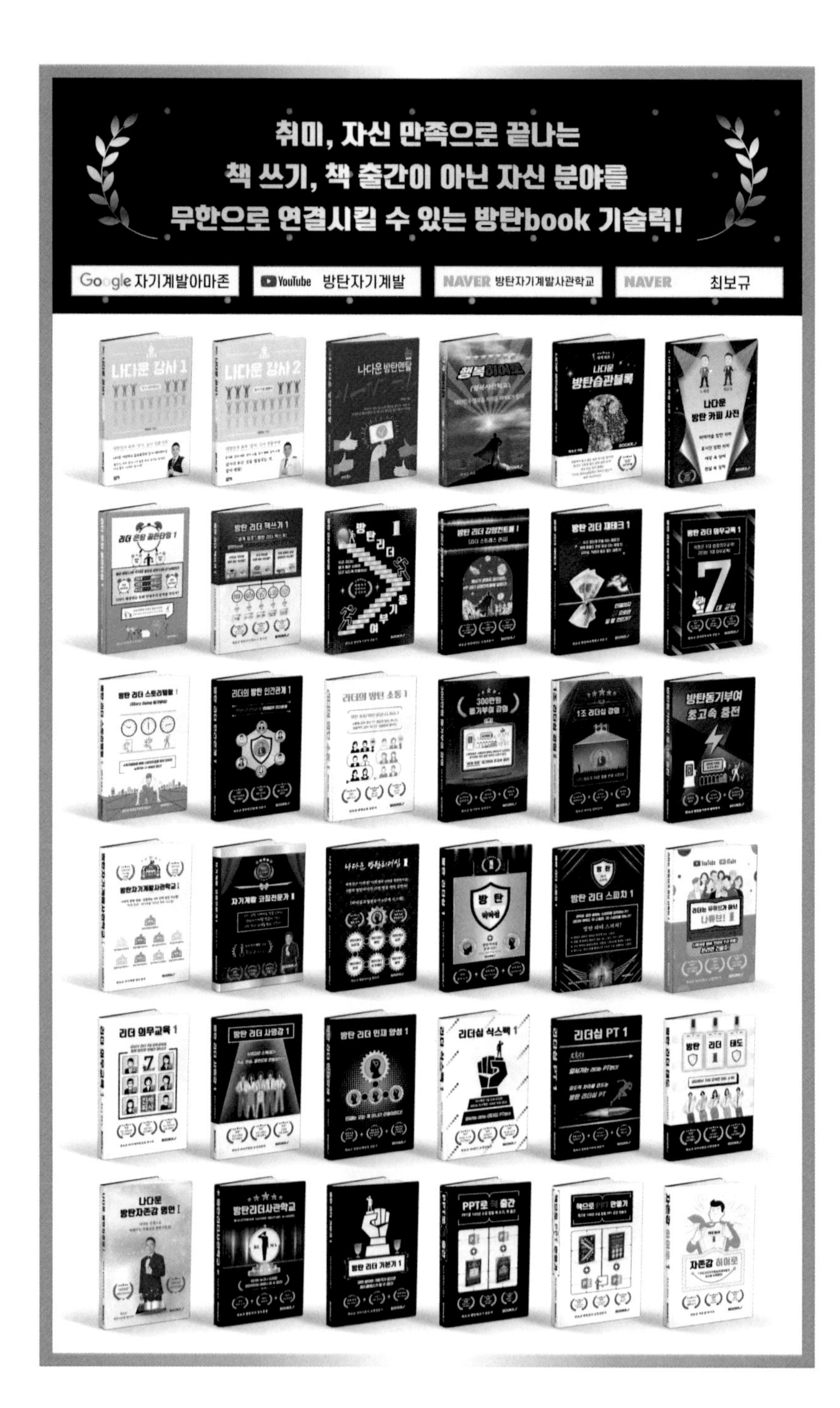
취미, 자신 만족으로 끝나는
책 쓰기, 책 출간이 아닌 자신 분야를
무한으로 연결시킬 수 있는 방탄book 기술력!
Google 자기계발아마존
YouTube 방탄자기계발
NAVER 방탄자기계발사관학교
NAVER 최보규

인고의 시간을 거쳐 쌓은 소중한 자신 분야 경력을
왜? 썩히고 있는가?
쌓은 경력으로 온라인 건물주가 될 수 있다!
자신 분야를 방탄book 연결 수입 창출!
자신 분야
방탄자기계발
몸값 상승
책 출간
(종이책, PDF)
(인세 유산)
멘토가 150년
A/S, 관리
디지털콘텐츠
수입(100년)
방 탄
book
불특정 다수와
비즈니스 연결
온라인콘텐츠
수입(100년)
코칭 수입
(100년)
온라인 건물주
(월세, 연금성)
재능 마켓
수입(100년)

★ 책 쓰기는 운전면허 취득 과정과 같다!

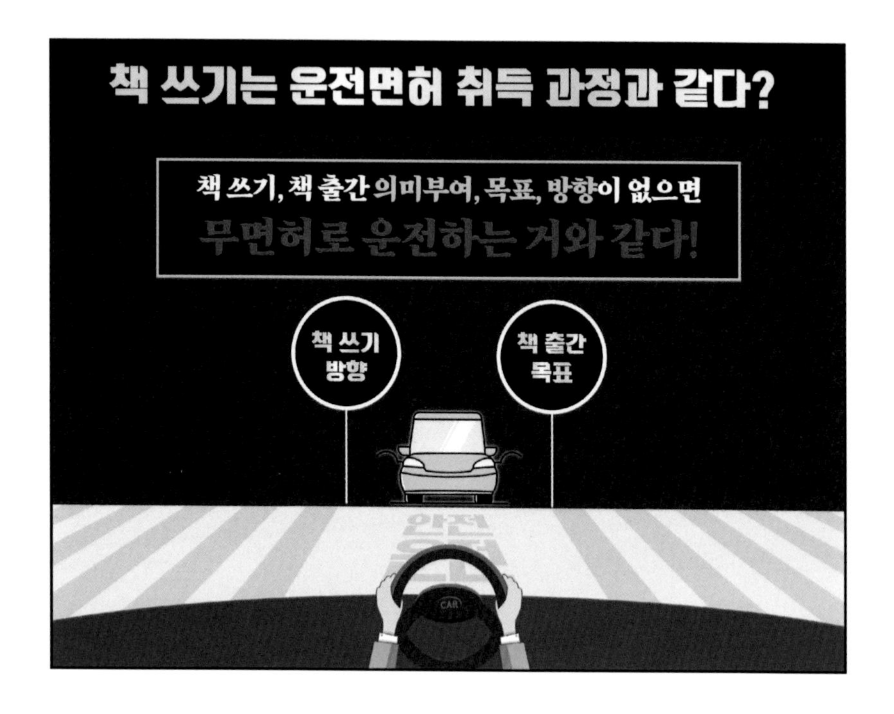

누군가는 운전면허증을 취득하려는 의미부여, 목표, 방향이 남들 다 운전면허증이 있으니 별 의미부여, 목표, 방향 없이 운전면허증을 취득하려고 한다.

누군가는 운전면허증을 취득하려는 의미부여, 목표, 방향이 가족을 부양하기 위해서 직업을 하기 위해서 먹고 살기 위해서 의미부여, 목표, 방향 설정 후 간절하게 취득하려고 하는 사람도 있다.

1차원적으로 단순하게 보면 어떤 사람이 운전면허증을 대하는 태도가 좋을까? 누구에게 물어보더라도 후자일 것이다.

그 어떤 것이든 시작할 때 의미부여, 목표, 방향이 있느냐, 없느냐에 따라서 태도가 580도 달라진다.

"시작하고 생각해라! 행동하고 의미부여, 목표, 방향 만들어라!" 이 말을 들으면 어떤가? 의미부여, 목표, 방향이 중요한 게 아니라 일단 시작하는 게 중요한 거구나? 이렇게 느껴지는가?

의미부여, 목표, 방향을 0,1%도 생각 안 하고 일단 시작해야 되는 상황이 있고 의미부여, 목표, 방향을 30% 정도 준비해서 시작해야 되는 상황이 있는 것이다. 책 쓰기는 특히 30% 의미부여, 목표, 방향을 설정하고 시작해야 한다.

운전면허증을 취득하기 위해서 독학을 하거나 운전면허학원에 등록한다. 필기를 먼저 합격해야 되기 때문에 운전면허 문제집을 먼저 산다. 한마디로 운전면허증을 따려면 가장 먼저 필기시험공부를 해야 하듯이 책 쓰기에 첫 번째로 해야 할 것은 대한민국 5가지 책 출판 개념의 장, 단점을 알고 전략적으로 책을 써야 한다.

★ 기획출판, 공동 기획출판, 자비 출판, 대필 출판, 독립(개인)출판 장, 단점을 모르면 책 쓸 자격이 없다!

기획출판, 공동 기획출판, 자비 출판, 대필 출판, 독립(개인)출판의 원고, 기간, 인세, 비용, 출판부수, 장단점을 파악해야만 자신 책 쓰기, 책 출간 목표, 방향이 잡혀서 책 쓰기, 책 출간에 날개를 달게 된다.

대한민국 5가지 책 출판 개념의 장, 단점을 알고 전략적으로 책을 써야 한다.

세부사항	기획출판	공동 기획출판	자비출판	대필출판	독립(개인)출판
원고	?	?	?	?	?
기간	?	?	?	?	?
인세	?	?	?	?	?
비용	?	?	?	?	?
출판부수	?	?	?	?	?
장단점	???	???	???	???	???

표를 보면 이런 생각이 들 것이다.
"왜 표가 빈칸이지? 5가지 출판 개념이 중요하다고 하면서 왜 알려주지 않는 거지? 자신 노하우라고 숨기는 건가?"라는 의문점이 들것이다.

20,000명 심리 상담, 코칭 하면서 알게 된 것은 표만 보고 혼자 판단해서 오해하는 사람들이 너무 많았기에 오픈하고 싶어도 오픈을 안 하는 것이다. 5가지 출판 장단점을 설명하는 데 기본 1시간이 필요한데 설명은 듣지 않고 1분~3분밖에 걸리지 않는 비교한 표만 보게 되면 수박 겉핥기 식 밖에 안 되는 것이다. 어설프게 배우

면 더 헷갈리기 때문에 배우지 않는 게 낫다는 것이다. 필자의 방탄책쓰기 사관학교에서는 책 쓰기, 책 출간 코칭만 하는 것이 아니다. 코칭 받은 사람이 누군가를 코칭을 할 수 있는 자격 조건이 생길 때까지 코칭을 하기 때문이다. 그래서 코칭 받을 때 제대로 배워야만 오해 소지 없이 책 쓰기, 책 출간을 잘 할 수 있고 자신이 다시 누군가를 책 쓰기, 책 출간 코칭을 할 때 제대로 알려 줄 수 있기 때문이다.

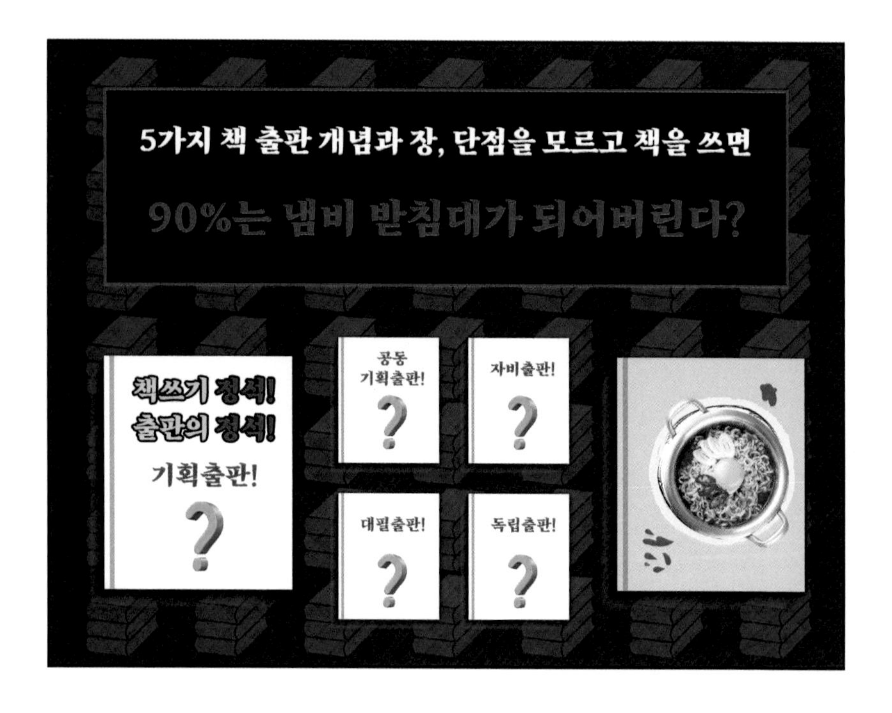

그런데 안타깝게도 시중에 나온 책 쓰기 책(200권 읽음), 책 쓰기 영상(500개 시청)을 보면서 알게 된 것은 책 쓰기 교육, 코칭을 거꾸로 알려주니 거꾸로 하고 있는 사람들이 대부분이다.

운전면허증에서 필기시험을 통과해야 실기 시험을 볼 수 있는데 실기 시험에만 집착하게 만든다. 인고의 시간을 거쳐 나온 소중한 책들이 누군가에 냄비 받침대가 되어 라면 국물이 묻어서 쓰레기 취급받는 책이 많다. 안타깝게도 90%의 책들이 책 출간 후 3개월 지나면 냄비 받침대가 되어간다.

"그냥 그냥 대충 이름 석 자 남겨야겠다." 그냥 대충 쓰면 정성 들여 쓴 책이 결국 냄비 받침대가 되어버린다는 것을 명심하자!

책 쓰기 의미부여, 목표, 방향을 제대로 설정하고 전략적으로 출간을 한다면 자신 분야 삼성(진정성, 전문성, 신뢰성)을 올리고 돈을 벌 수 있는 콘텐츠까지 연결시킬 수 있다. 그러면 자신의 인생뿐만 아니라 많은 사람들에게 라면 받침대가 아닌 인생의 받침대, 디딤돌이 되어 줄 것이다.

책 대충 쓰면
라면 냄비
받침대가 된다!
인생
받침대, 디딤돌이
되어 줄 수 있는
책 쓰기, 책 출간

평균 희망 은퇴 73세, 현실 은퇴 나이 49세!
100세 시대 언제까지 몸(노동)으로만
일해서 돈을 벌 것인가?

세상, 현실 기준에서 스펙, 돈, 인맥, 자산 등이 없어서 100세까지 노동을 해야 되고 몸까지 아프면 더 답이 없는 상황! 젊을 때는 100가지 중 99가지를 할 수 있지만 나이 들면 100가지 중 99가지를 할 수 없다. 3고 시대, AI 시대, 챗GPT 시대에 자신의 직업이 사라 질 수 있는 상황에서 어떻게 준비, 대비할 것인가?

방탄BOOK기술력
선택이 아닌 필수!

★ 책 내공, 책 값어치, 책 가치는 독서와 비례한다!

평균적으로 저자는 독자가 자신의 책을 읽고 이런 감동을 받길 바랄 것이다. "우와! 책 내공이 느껴진다. 책 값어치를 하는 책이다. 뻔한 내용, 누구나 아는 내용이 아니다. 어떻게 이런 생각을 할 수 있었을까? 작가의 인생 내공, 자신 분야 전문성이 느껴지는 책이다. 책 값 15,000원 주고 샀는데 1억 5,000만원 가치를 느끼게 하는 책이다. 베스트셀러 책은 아니지만 지금까지 1,000권 본 책 중에 베스트1이다." **자신 분야 책 내공, 책 값어치, 책 가치를 올리기 위해서는 가장 먼저 해야 할 것은 독서다.** 독서가 자신 전문 분야 내공, 값어치, 가치를 높여 주고 자신 분야 책 쓰기 내공, 값어치, 가치를 높여 준다.

독서가 왜 중요한지를 알려 주는 스토리텔링이다. 지구상에 성공한 리더, 가장 돈 많은 리더들이 100명이라면 99명은 독서를 한다.

3배나 더 빨리 배우고 3배나 부자가 될 수 있다니 이게 무슨 사이비 같은 소리야 하기겠지만!
이 방법을 배우기 위해 일론 머스크, 빌 게이츠, 버락 오바마, 오프라 윈프리 등이 단 한 사람을 찾아갔다면!

믿으시겠습니까?

우리는 정보의 바다를 넘어 정보의 홍수 폭풍 속에서 살아갑니다.
특히 업무를 위해서 나 자기 개발을 위해 무언가를 '읽어야' 할 일이 정말 많죠. 다 읽을 수 있는 여유가 있다면 좋겠지만 바쁜 일상을 살다 보면 시간이 부족해 책에는 먼지만 쌓여가거나, 침대 맡에 몇 달씩 책이 방치되는 일이 생기고 합니다.
그런데 우리가 책을 읽는 속도를 2배, 3배 향상시킬 수 있다면 어떨까요? 지식을 더욱 빠른 속도로 배울 수 있고 일에 필요한 노하우 습득 속도를 높여 업무 효율을 극대화할 수 있을 것입니다.
개인 사업을 하거나 영상 제작, 글쓰기를 하더라도 필요한 정보를 탐색하는 속도가 3배 빨라진다면 그 경제적 효과도 3배라고 할 수 있겠죠.
더 강조하지 않더라도, '빨리 읽기'의 유익은 다들 쉽게 상상하실 수 있으실 겁니다.
3배나 더 빨리 배우고 3배나 부자가 될 수 있다니 '이게 무슨 사이비 소리야?' 하시겠지만 이 방법을 배우기 위해 일론 머스크, 빌 게이츠, 버락 오바마, 오프라 윈프리 등이 단 한 사람을 찾아갔다면? 믿으시겠습니까?

우리 학습 속도를 2~3배 향상시켜주는 방법, 지금부터 시작합니다.
짐 퀵은 포브스 선정 2021년 올해 책임 한국어명 '마지막 몰입'의 저자인 베스트셀러 작가이자, 강사 브레인코치입니다.
'기억력 향상', '두뇌 건강', '가속 학습' 등의 분야를 전문으로 하는 뇌 전문가죠. 그런데 흥미로운 점은, 이런 직퀵이 어릴 적 사고로 뇌를 크게 다쳤다는 것입니다.
"소방관들은 제겐 영웅이었죠. 그래서 꼭 그들이 보고 싶었습니다. 창가로 의자를 가져가서 위에 올라갔죠.
간신히 소방관들을 볼 수 있었고, 정말 기뻤습니다. 제가 인생에 없던 기쁨을 맛보고 있던 그 순간 누군가 제 의자를 잡았고, 저는 그게 누군지 보기 위해 뒤로 돌았습니다. 그 순간 저는 머리부터 떨어지며 라디에이터에 머리를 부딪쳤죠.
끊임없이 피가 흘러 사방 군데로 퍼졌습니다. 그 사고 이후로 부모님은 제가 이전과 같지 않다고 하셨어요.
더 큰 문제는 제가 그때 영어를 읽을 수도 없었다는 겁니다. 어느 날은 제 선생님이 저를 손가락으로 가리키며 다른 어른에게 말하더군요. 저 소년이 '뇌가 고장 난 아이'야" '뇌가 고장 난 아이'였던 짐 퀵이 어떻게 브레인 코치, 학습 전문가가 될 수 있었을까요? 긴 사연이 있지만, 이야기가 길어지니 그에게 큰 변화를 일으켰던 '두 영웅'에 대해서만 이야기하고 넘어가도록 하겠습니다.
첫 번째 영웅은 사실 '영웅들'인데요, 바로 엑스맨입니다. 글을 읽을 수 없었던 짐 퀵이 볼 수 있던 유일한 책은 만화책이었습니다.
미국은 특히 마블같은 히어로물 만화를 많이 보죠. 많고 많은 히어로들 중 짐 퀵의 마음을 사로잡은 영웅은 엑스맨 이었습니다.
가장 강하고 빠르지는 않지만, 소외된 자들, 돌연변이지만 악당들 물리치는 엑스맨들의 모습이 또래로부터 소외된 짐 퀵에게는 인상 깊게 느껴졌을 것 같습니다.

저녁마다 잠을 안 자고 이불 속에 숨어 플래시 라이트 비춰가며 책을 읽었다고 해요.
어쩌다 많이, 재밌게 읽었는지 원래 글을 읽을 줄 몰랐는데 이 만화를 보며 독학했다고 합니다.
'뇌가 고장 난 아이'가 처음으로 글을 있게 해준 영웅이 바로 엑스맨인 셈이죠.

두 번째 영웅은 아인슈타인입니다. 글을 읽게 된 이후로도 짐 퀵은 계속된 학습 장애로 인해 고통 받았다고 합니다. 책 한 권을 제대로 읽기가 어려웠고, 다 읽어도 내용이 전혀 머리에 남지 않은 것이죠. 어떻게든 극복해보려고 정말 미친 듯이 공부를 했다고 합니다. 잠도 안

자고, 먹지도 않고 며칠 밤을 도서관에서 보내며 읽어야 할 책, 읽고 싶은 책, 엄청 쌓아놓고 미친 듯이 읽었습니다. 그런 피나는 노력을 통해 학습 장애를 '극복!' 했다는 행복한 이야기면 좋겠지만, 그렇게 무리하다 도서관에서 졸도하고 맙니다.
졸도하면서 계단에서 굴러떨어져 다시 한 번 머리를 다쳤고, 이틀 후에 병원에서 깨어났다고 합니다.
짐 퀵이 말하는 인생의 가장 어두웠던 시절입니다.
병상에서 깨어난 그에게 간호사 한 분이 차 한 잔을 가져다줍니다. 그 머그컵에는 아인슈타인의 사진과 함께 인용구 한마디가 적혀있었다고 합니다.

"문제를 유발한 것과 똑같은 수준의 생각으로는 절대 당신의 문제를 해결할 수 없다. 이 말은 제가 스스로에게 질문을 던지게 만들었습니다. 내 문제는 무엇일까?"

이 말에 큰 감명을 받은 짐 퀵은, 단순히 '열심히 해야겠다' 수준의 생각이 아니라, 보다 근본적인, 높은 수준의 물음을 던집니다. '내 본질적인 문제가 뭘까?'에 대해 고민하기 시작합니다.
즉, 느리게 배우는 것이 자신의 문제라고 정의하고, 빠르게 배우는 방법을 찾아다니기 시작합니다.
그러나 즉, 내용을 가르쳐주는 학교, 수업은 많아도 어떻게 해야 더 빨리, 더 많이 배우는지 가르쳐주는 곳은 없었고, 그때부터 퀵은 우리의 뇌는 어떻게 배우는지, 기억의 원리는 무엇인지 탐구하기 시작합니다.
그렇게 탐구를 거듭한 끝에 현재의 짐 퀵이 있는 것입니다. 사실 중간에 많은 이야기들이 더 있지만 가장 결정적인 사건만 소개해드렸습니다.

그럼 본론으로 들어가서 '어떻게' 읽기 속도를 두 세배 빠르게 할 수 있다는 걸까요?

지금부터 소개해 드리겠습니다.
첫째 '주변시를 활용하라'입니다.
짐 퀵이 말하는 주변 시란, 한눈에 보이는 문자나 단어의 범위를 뜻합니다.
즉, 내가 집중하고 있는 한 단어가 아닌, 그 단어 주변으로 보이는 여러 단어를 뜻하죠.
그 단어들을 한 번에 읽어내라고 짐 퀵은 말합니다.
우리는 보통 한 번에 한 단어에 집중해서 읽으라고 교육을 받아왔습니다.
그런데, 그건 처음 읽기를 배울 때, 즉 어휘를 많이 모를 때나 필요한 방법입니다.
이미 많은 어휘를 알고 특정 어휘와 주로 같이 사용되는 단어들이 어떤 것인지 앎은 상황에서는 한 단어에만 집중하는 것은 오히려 우리의 독서 속도를 늦추는 역할을 합니다.
짐 퀵은 그의 저서에서 'report card' 라는 표현을 예시로 듭니다. '성적표'란 뜻이죠. 우리 뇌는 report card를 '성적표'라는 한 의미 단위로 처리합니다.
그런데 책을 읽을 때 한 단어에 집중하면, 'report' 'card' 이렇게 두 단어로 읽은 다음에 다시 아, 'report card' 이렇게 하나의 뜻으로 합치는 불필요한 과정을 거치면서 읽는 속도가 느려진다는 겁니다.
기억력이 정말 좋은 사람들이 정보의 부분 부분을 따로 외우는 게 아니라, 사진 찍듯이 이미지로 외운다는 말을 들어보셨을 겁니다. 같은 원리입니다.

특정 어휘는 주로 같이 쓰이는 단어들이 있습니다.
이 조합을 영어로 collocation이라고 합니다.
한국어 예시로 들면, 종가집 00하면 종가집 김치가 생각나고, 가재는 00하면 가재는 게 편이라는 말이 생각나듯, 굳이 꼼꼼하게 있지 않아도 바로 떠오르는 표현들은 한 단어 한 단어 천천히 읽을 필요가 없죠. 정말 한 단어 한 단어 모르는 어휘라 이해가 어려울 때는 어쩔 수 없지만, 그렇지 않을 때는, 이렇게 주변 시를 활용해 한 번에 여러 단어, 문장 단위로 보다 큰 의미 단위를 한 번에 이해하는 연습을 해보시기 바랍니다.

한 번에 문장 하나씩 눈으로 사진을 찍는다 생각하고 연습해 보시길 바랍니다. 굳이 단어 하나하나를 곱씹지 않아도 충분히 글에서 말하고자 하는 바를 이해하실 수 있습니다.

둘째, '속 발음'을 없애라입니다.
책을 읽을 때, 속으로 책을 소리 내어 읽기듯이 따라가며 읽으시진 않나요?
이게 바로 '속 발음'입니다. 이건 사실 어릴 적 교육의 결과입니다.
어릴 때 유치원이나 초등학교에서 책을 혼자서 발표하듯이 낭독하거나, 돌아가면서 한 줄씩 있는 교육 많이 하잖아요?
어릴 때는 학생들 주의 집중력이 오래가지 않으니 이 방법이 효과적이겠지만, 이 이후에 읽기 교육을 받은 적이 없으니 지금은 필요 없는 옛날 습관을 여전히 반복하고 있는 거죠. 그런데 앞서 말했듯이 우리가 있는 대부분의 단어는 우리가 아는 단어들입니다.
그런 단어들을 굳이 내적 소리를 내어가며 읽을 필요가 있을까요? 아니요. 그냥 눈으로 보면 되는 겁니다.
우리 뇌의 처리능력은 우리 생각보다 엄청납니다.
소리 내지 않아도, 한 글자씩 온 주의집중을 쏟지 않아도 충분히 읽고 있는 내용을 이해할 수 있습니다.

이 속 발음을 없애기 위해서 짐 퀵이 제안하는 방식은 '숫자 세며 읽기'입니다. 눈으로는 책을 읽으면서 입으로는 '하나', '둘', '셋' 소리를 내라는 건데요.
소리를 내는 상황에서 속 발음 까지 하는 것은 정말 어려워서, 자연스레 속 발음이 없어진다고 합니다. 한 번 해보시길 추천 드립니다.

물론 처음에는 약간 혼란스럽지만 익숙해지면 점점 이해력이 향상된다고 짐 퀵은 말합니다.
이렇게 숫자를 꼭 하지 않더라도. 속으로 글자를 읽고 있다는 생각이 들 때 '이 속 발음이 독서 속도를 늦추고 있다.'라는 것을 지각하기만 해도 독서 속도가 빨라지는 것을 체감하실 수 있으실 겁니다.

마지막으로, 손가락으로 짚어가며 읽기입니다. 우리가 빨리 읽지 못하는 이유 중 하나는 '안구 회귀' 즉 읽다가 시선이 돌아가 특정 부분을 다시 읽는 현상 때문이라고 합니다.
집중이 잘 안될 때 책 읽으면 읽은 부분 읽고 또 읽고 또 읽고 또 읽고 그런 경험 다들 많으시죠?
어느 정도의 안구 회귀는 거의 모든 사람이 하기 마련인데, 대부분 무의식적으로 이루어진다고 해요.
손가락으로 짚어가면서 읽으면, 손가락의 위치에 집중하

기 때문에 무의식적으로 읽은 부분을 또 읽는 회귀 현상을 예방해 읽는 속도가 빨라진다고 합니다.

짐 퀵 이 책에서 소개하는 연구에 따르면, 손가락을 사용하면 읽는 속도가 최고 25%에서 최대 100%까지 빨라진다고 합니다.
실제 제가 실천에 봤는데, 전 이제 손가락 혹은 팬 등을 지펴 가면 읽지 않으면 답답해서 책을 못 읽겠다는 생각이 들 정도로 큰 속도 향상을 경험했습니다.
무엇보다 집중도 잘 되고요. 그만큼 실천하기도 쉽고, 효과도 직방인 방법이라 할 수 있습니다.

"그럼 여기서 잠깐, 빨리 있는 게 좋은 건가?" 하시는 분들이 계실 수 있습니다.
우리는 보통 천천히 씹어가며 책을 읽어야 배우는 것이 많고, 속독은 이해도가 떨어지는 방법이라는 생각을 많이 하니깐요. 짐 퀵은 이를 반박합니다. 짐 퀵은 책을 통해 조용한 거리를 천천히 운전할 때와 경주로의 급커브를 전속력으로 달리는 상황에 대한 비유를 듭니다.
천천히 운전할 때는 여러 다른 일도 할 수 있죠. 음악 듣기, 노래 부르기, 대화하기 등이요.
그러나, 빠른 속도로 커브를 돌 때는 운전 외에 그 어떤 일도 신경 쓸 수 없습니다.

오로지 운전에만 몰입하게 되죠. 같은 원리로 우리의 독서도 빠르게, 오롯이 독서에 집중할 때 더욱 효과적인 독서가 일어날 수 있다고 합니다.

마무리하겠습니다. 읽어야 할 정보가 너무나도 많은 시대, 우리가 선택할 수 있는 것은 두 가지입니다.
시간을 늘리거나, 읽는 속도를 느리거나.
24시간은 한정되어 있는 만큼 시간을 늘릴 수 없으니 우리는 속도를 높여야 합니다.
속도를 높인다고 해서 이해도가 떨어지는 것이 아니라, 오히려 더 몰입감이 높아진다는 것을 기억하십시오.
주변 씨를 활용하고, 속 발음을 멈추고, 손가락으로 짚어가며 책을 읽으십시오.
당신의 독서량, 효율성, 나아가 당신의 부까지 몇 배 혹은 몇십 배 성장하는 경험을 하시게 될 것입니다.

<유튜브 북토크>

일론 머스크, 빌 게이츠, 버락 오바마, 오프라 윈프리 등이 빠르게 독서를 하기 위해 속도법을 배우고 세계 수많은 위인들, 부자들 대부분이 책을 읽고 책을 쓰는 이유가 자명하다. 신이 인간을 사랑해서 자신의 능력인 한 가지인 보물(지혜)을 책 속에 숨겨 놨다. 그래서 그 보물(지혜)을 아무나 찾지 못한다. 책을 한두 권 보면 찾

을 수 있는 게 아니다.

끊임없이 책을 읽어야만 신이 숨겨놓은 보물(지혜)을 하나씩 찾을 수 있는 것이다. 책을 많이 읽는 사람이 극소수인 것처럼 성공자, 부자들이 극소수다. 책을 많이 읽는다고 성공자, 부자가 되는 건 아니다. 하지만 단언컨대 성공자, 부자들은 책을 어마어마하게 읽는다.

사람의 생각을 바꾸는데 책 1톤이 필요하고 자신 인생을 바꾸는 데는 자신 분야 책 1권 출간이면 가능하다. 책 1,000권 읽는 것보다 자신 분야 책 1권 책 쓰기와 책 출간이 더 가치가 있다. 책을 10권 읽고 책 쓰는 사람, 책 100권 읽고 책 쓰는 사람, 책 1,000권 읽고 책 쓰는 사람 중에 어떤 사람 책이 내공, 값어치, 가치가 느껴질까? 누구에게 물어봐도 책 1,000권 읽고 책 쓰는 사람일 것이다. 책 쓰기의 기본 전제는 책을 많이 읽기다. 그 다음에는 물이 99도까지는 끓지 않고 100도에서 끓듯이 지혜의 임계점인 1도를 올려주는 것이 바로 책 출간이다. 책을 한 권도 읽지 않고 책 한 권 출간이 더 좋다고 말하는 게 아니다. 남들이 책 출간 한 것을 한번 읽는 것 보다 자신이 시행착오, 대가 지불, 인고의 시간을 거쳐 만든 책 쓰기, 책 출간이 그 만큼 평생 남으며 가치가 있다고 말하는 것이다.

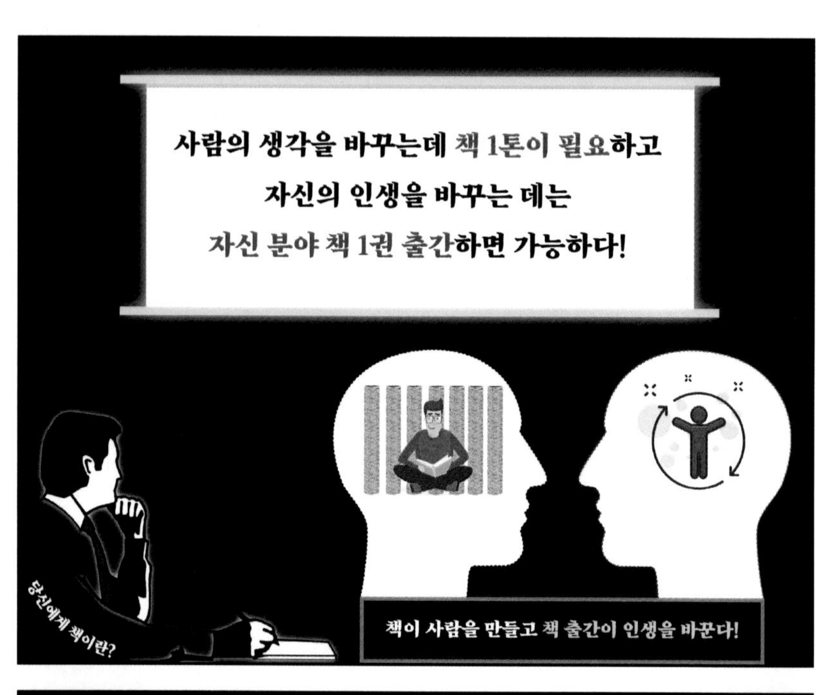
사람의 생각을 바꾸는데 책 1톤이 필요하고
자신의 인생을 바꾸는 데는
자신 분야 책 1권 출간하면 가능하다!
당신에게 책이란?
책이 사람을 만들고 책 출간이 인생을 바꾼다!

책 1,000권 읽는 것보다
자신 분야 책 1권
책 쓰기, 책 출간이 100년 간다!
PPT로 책 출간
당신에게 책이란?
책이 사람을 만들고 책 출간이 인생을 바꾼다!

방탄책쓰기사관학교(www.방탄book.com)에서는 책 출간 최고의 장점인 절판 없는 책 쓰기, 책 출간을 한다. (절판: 발행된 책이 단종 됨, 출판사와 계약기간 만료) 출간한 책이 절판되어 재 출간하려면 처음 들어간 비용 다시 발생한다. 출판사들 90%가 절판을 한다.

방탄책쓰기사관학교(www.방탄book.com)에서는 "그래, 버킷리스트인 책 한 권 출간했어! 냄비 받침대가 되어 라면 국물이 묻어서 쓰레기가 되어도 좋아." 이런 정신으로 책 쓰기 코칭을 하지 않는다. 베스트셀러 책이 되는 것도 좋지만 자신, 가족, 조직체 원들, 소중한 사람들이 봤을 때 베스트라고 할 수 있는 책 출간 코칭을 한다.

방탄책쓰기사관학교(www.방탄book.com)에서는 자신 분야와 연결시켜 스펙도 올리고 돈을 벌 수 있는 시스템과 연결시켜 부수입을 올릴 수 있으며 부업(제2의 직업 강사, 제3의 직업 코칭, 은퇴 후 직업)으로도 할 수 있는 책 출간 코칭을 한다. 더 나아가, 많은 사람들에게 도움을 줄 수 있고 선한 영향력을 끼쳐 동기부여해 줄 수 있는 리더 책 출간 코칭을 한다.

책 쓰기, 책 출간 교육, 코칭은 누구나 한다. 자신 분야를 연결하여 삼성(진정성, 전문성, 신뢰성), 월세, 연금성 수입을 올릴 수 있는 책 쓰기, 책 출간은 방탄책쓰기 사관학교에서만 할 수 있다.

어디에 있든 그 곳이
변화, 성장, 배움, 행복의
시작점이다.

- 최보규 방탄book 창시자 -

www.방탄book.com
방탄book
전문성, 몸값 상승, 가치, 은퇴 준비, 노후 준비, 월세 수입, 연금성 수입, 온라인 건물주
자신 분야 날개를 달자!
방탄book
www.방탄book.com
자신 전문 분야 메뉴얼, 체계적인 시스템이 머리에만 있으면 아마추어다.
자신 전문 분야 메뉴얼, 체계적인 시스템이 자료화(책 출간)되어 있다면 삼성이 검증된 전문가다!
자신 분야
삼성(진정성, 전문성, 신뢰성)UP

www.방탄book.com
자신 가치 상승
자신 분야 전문 서적이 있다고 몸값, 가치가 올라가는 건 아니다. 하지만 몸값을 올리고 자신 가치를 올리는 사람들 99%는 자신 분야 전문 서적이 있다는 것을 명심하자!
몸값 상승
www.방탄book.com
출간한 책으로 커리큘럼을 제작하여 비대면 시대가 와도 비수기 없이 온라인으로 수입을 올릴 수 있다.
시간, 장소 제약 없이 지속적으로 수입 창출을 할 수 있다.
온라인 콘텐츠 연결
www.방탄book.com
출간한 책으로 커리큘럼 제작 후 디지털 콘텐츠(영상) 제작으로 수입 발생.
(매달 지속적인 월세, 연금성 수입, 온라인 건물주)
자신 분야 불특정 다수 연결로 인해 다양한 사업 제의와 수입 연결 통로.
영상 한번 제작으로 자신 분야 150년 지속적인 홍보 효과
디지털 콘텐츠 연결

www.방탄book.com
방 탄
book
www.방탄book.com
책을 출간 하면 자신 분야 강사가 되어 부업, 은퇴 후(노후 준비)
수입을 올릴 수 있다.
세계 최초 책 출간과 강사 양성까지 할 수 있는 곳은 방탄book 출판사 뿐이다.
제2의 직업 강사
책을 출간 하면 자신 분야 코칭전문가 되어 은퇴 후(노후 준비) 부업으로도 수입을 올릴 수 있다.
세계 최초 책 출간과 코칭 양성까지 할 수 있는 곳은 방탄book 출판사 뿐이다.
제3의 직업 코칭
자신 분야 책 출간 과
시중에 있는 책 쓰기 교육(책 쓰기, 책 출간만 한다)과 차원이 다르다.
방탄book출판사
차별화가 아닌 초월이다!
6가지 수입 창출을 한 곳에서

최초! 한 곳에서 100년 활용하는 6가지 기술력을 전수한다!

www.방탄book.com

차별이 아닌 초월 시스템

타사와 **비교불가** 초월 혜택으로
자신 분야 온라인 건물주 되어 100년 수입 창출!

이코노미 코칭	비지니스 코칭	퍼스트클래스 코칭

www.방탄book.com

차별이 아닌 초월 시스템

타사와 비교불가 초월 혜택으로 자신 분야 온라인 건물주 되어 100년 수입 창출!

이코노미 코칭

기본 5H, 10H ~ 52H | 500,000원~

CHECK POINT

- ☑ 책 쓰기, 책 출간 컨설팅 후 코칭(하)
- ☑ 6가지 수익 창출 컨설팅 후 코칭(하)
- ☑ 150년 A/S, 피드백, 관리

비지니스 코칭

기본 10H, 15H ~ 52H | 1,000,000원~

CHECK POINT

- ☑ 책 쓰기, 책 출간 컨설팅 후 코칭(중)
- ☑ 6가지 수익 창출 컨설팅 후 코칭(중)
- ☑ 150년 A/S, 피드백, 관리

퍼스트클래스 코칭

기본 15H, 20H ~ 52H | 3,000,000원~

CHECK POINT

- ☑ 책 쓰기, 책 출간 컨설팅 후 코칭(상)
- ☑ 6가지 수익 창출 컨설팅 후 코칭(상)
- ☑ 150년 A/S, 피드백, 관리

www.방탄book.com

특별 혜택

누구나 줄 수 있는 혜택이라면 절대로 방탄book을 선택하지 않았을 것이다!

파트너 강사 임명

방탄자기계발사관학교 전임 강사
자기계발아마존 전임 강사
방탄book 전속 작가
방탄코칭 전문가
대한민국 노벨상인
"최보규상" 프로젝트 연구원

타이틀 5가지 자격 부여

150년 멘토

20,000명 상담, 코칭
자기계발서 100권 출간
381가지 습관 만듦
2,000권 독서

삼성(진정성, 전문성, 신뢰성)이 검증 된 전문가가 우주 최강 책임감 150년 a/s, 피드백, 관리 해준다. 자자자자멘습긍 케어까지 해준다. (자존감, 자신감, 자기관리, 자기계발, 멘탈, 습관, 긍정)

리더의 자신 분야 삼성(진정성, 전문성, 신뢰성)을 올려주고 인정해 주는 건 자신 전문 분야 책 출간이다!

책 1,000권 읽는 것보다.
자신 분야 책 1권 책 쓰기, 책 출간이 100년 간다!

리더 생각을 바꾸는데 책 1톤이 필요하고
리더 인생을 바꾸는 데는
자신 분야 책 1권 출간이면 가능하다!

수입 자동 시스템을
만드는
책 쓰기, 책 출간
자고 있는데
돈을 버는 시스템?

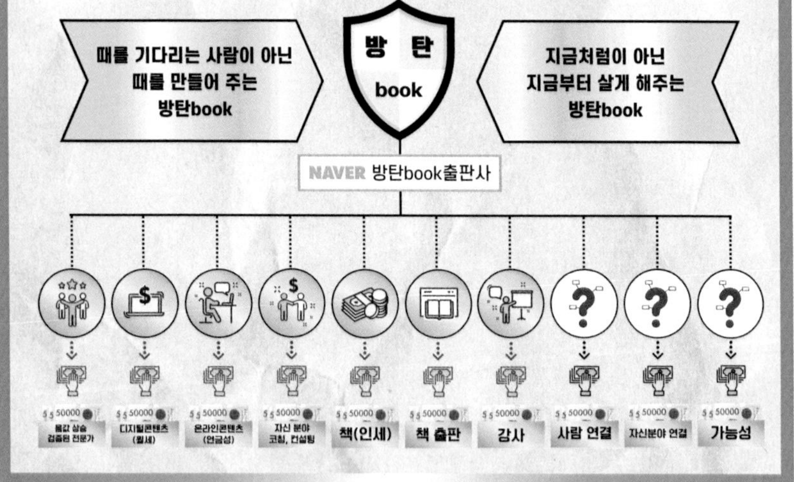

최보규의 책 쓰기 10G

✔ 일시, 시간

▶ 수시 모집 (상담)

▶ 13:00 ~ 18:00 (기본 5시간)
시간 조정 가능!(10H, 15H, 20H)

✔ 내용

1. 책 쓰기, 책 출간 의미 부여, 목표, 방향 설정
(5가지 책 출판 장단점)
2. 7G(원고, 투고, 퇴고, 탈고, 투고, 강의, 강사)
3. 온라인 콘텐츠 연결 기획, 제작
4. 디지털 콘텐츠 연결 기획, 제작
5. 자신 분야 연결 제2수입, 제3수입 창출 시스템 기획, 제작

✔ 자기계발 비용, 인원

▶ 비용 상담

▶ 1:1 코칭(온,오프라인)

✔ 장소, 상담

▶ 장소 상담 후 상황에 따라 변동 사항

▶ 한 번의 상담이 인생 터닝포인트
150년 A/S, 관리, 피드백
최보규 원장 010-6578-8295

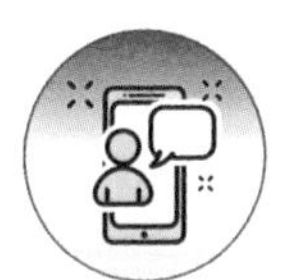

방탄책쓰기 사관학교

시스템 사용설명서

시스템 소개

4차 산업 시대에 맞는 4차 책쓰기로 업데이트!

자신, 가족, 지인, 많은 사람들에게 읽히고 3대까지 가는 책 그냥 쓰면 안됩니다. 책 쓰는 의미 부여, 목표, 방향을 제대로 잡아 힘든 시기 제2의 수입, 제3의 수입을 올릴 수 있는 전문 분야 책쓰기로 자신 분야 삼성(진정성, 전문성, 신뢰성)을 올려야 합니다.

1차, 2차 책 쓰기는 아무나 못 쓰는 책이었고 3차 때는 누구나 쓸 수 있는 책이었다면 4차 책 쓰기는 자신 분야 삼성을 올릴 수 있는 책 쓰기, 책 출간이 되어야 합니다. 월세, 연금성 수입이 들어올 수 있는 콘텐츠 책 쓰기가 되어야 합니다.

교육.강의.코칭 목적 및 기대효과

책 쓰기, 책 출간의 본질은 5가지 출판 장단점과 7G(초보, 원고, 퇴고, 탈고, 투고, 강의, 강사)를 학습, 연습, 훈련을 통해 자신 분야 삼성(진정성, 전문성, 신뢰성)을 올 릴 수 있는 효과.

빠르게 변하는 시대, 힘들고 점점 더 어려워지는 환경 속에서 방탄책쓰기 사관학교에서 책 쓰기, 책 출간 교육, 코칭으로 온라인 콘텐츠까지 연결시켜 본업 외에 제2수입, 제3수입을 발생시킬 수 있는 효과

교육.강의.코칭 항목

1단계: 책 쓰기, 책 출간 의미 부여, 목표, 방향 설정 (5가지 책 출판 장단점)
2단계: 7G(원고, 투고, 퇴고, 탈고, 투고, 강의, 강사)
3단계: 온라인 콘텐츠 연결 기획, 제작 (월세 수입)
4단계: 디지털 콘텐츠 연결 기획, 제작 (연금성 수입)
5단계: 자신 분야 연결 제2수입, 제3수입 창출 자동 시스템 기획, 제작

1 2  4 5

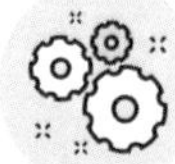

방탄책쓰기사관학교 신청 대상 세부 내용

방탄책쓰기사관학교

- 자기계발을 시작하고 싶은 분.
- 4차 책쓰기 업그레이드를 통해 자신 분야 변화, 성장하고 싶은 분
- 책쓰고 자신 분야 전문가 되어 강사가 되고 싶은 분
- 1,2,3,4,5단계 4차 책쓰기를 배워 자신 분야 삼성(진정성, 전문성, 신뢰성)을 업데이트해서 자신분야 가치, 몸 값어치를 올리고 싶은 분
- 방탄자기계발사관학교 지회장이 되어 9가지 사관학교를 운영, 대한민국 노벨상인 최보규상 임원진이 되고 싶은 분

교육. 강의. 코칭 항목

교육 시간은 변동사항 있을 수 있습니다!

구분	주제	강의내용	시간
방탄책쓰기 사관학교	1단계	책 쓰기, 책 출간 의미 부여, 목표, 방향 설정 (5가지 책 출판 장단점)	1H ~ 10H
	2단계	7G(원고, 투고, 퇴고, 탈고, 투고, 강의, 강사)	1H ~ 10H
	3단계	온라인 콘텐츠 연결 기획, 제작	1H ~ 10H
	4단계	디지털 콘텐츠 연결 기획, 제작	1H ~ 10H
	5단계	자신 분야 연결 제2수입, 제3수입 창출 시스템 기획, 제작	1H ~ 10H

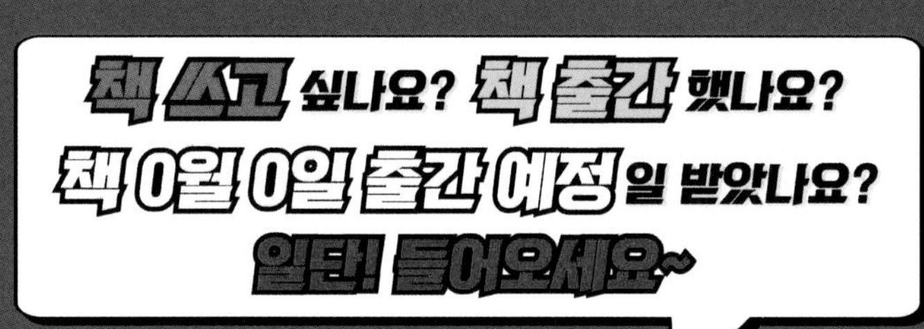

책 쓰고 싶나요? 책 출간 했나요?
책 0월 0일 출간 예정일 받았나요?
일단! 들어오세요~

책 쓰기 중요한 3가지

책 쓰기 3가지만 준비하면 끝!

20,000명 상담, 코칭 데이터! 사실 각자마다 기준이 다를 수 있으므로
삼성(진정성, 신뢰성, 전문성)이 검증된 사람이 말할지라도 맹신은 금물!

01

5가지 출판 족보를 모르면 책 쓸 자격 없다!
사람에게 족보가 있듯 출판의 5가지 족보!
기획출판, 공동기획출판, 자비출판, 대필출판, 독립출판

돈, 시간을 아껴준다.
중요 ★★★★★★★

책 쓰기 중요한 3가지

책 쓰기 3가지만 준비하면 끝!

20,000명 상담, 코칭 데이터! 사실 각자마다 기준이 다를 수 있으므로
삼성(진정성, 신뢰성, 전문성)이 검증된 사람이 말할지라도 맹신은 금물!

02

7G를 알아야 책 쓰기가 편하다!

초고, 원고, 퇴고, 탈고, 투고, 강의, 강사

작가 직업, 강사 직업
두 마리 토끼 잡는다.
중요 ★★★★★★★

책 쓰기 중요한 3가지

책 쓰기 3가지만 준비하면 끝!

20,000명 상담, 코칭 데이터! 사실 각자마다 기준이 다를 수 있으므로
삼성(진정성, 신뢰성, 전문성)이 검증된 사람이 말할지라도 맹신은 금물!

03

한번 코칭으로 150년 A/S, 관리, 피드백 받을 수 있는 전문가 선택!

대한민국 대부분 코칭 95%가 한번 코칭 하면 끝나고
가장 중요한 관리를 해주지 않는다. 늘 그때뿐인 교육, 코칭이 된다!

돈, 시간을 아껴준다.
중요 ★★★★★★★

책 0월 0일 출간 예정일에서 중요한 3가지

책 출간 준비 3가지만 하면 끝!

20,000명 상담, 코칭 데이터! 사실 각자마다 기준이 다를 수 있으므로
삼성(진정성, 신뢰성, 전문성)이 검증된 사람이 말할지라도 맹신은 금물!

03

한번 코칭으로 150년 A/S, 관리, 피드백 받을 수 있는 전문가 선택!

대한민국 대부분 코칭 95%가 한번 코칭 하면 끝나고
가장 중요한 관리를 해주지 않는다. 늘 그때뿐인 교육, 코칭이 된다!

돈, 시간을 아껴준다.
중요 ★★★★★★★

책 출간 후 중요한 3가지

책 출간 준비 3가지만 하면 끝!

20,000명 상담, 코칭 데이터! 사실 각자마다 기준이 다를 수 있으므로
삼성(진정성, 신뢰성, 전문성)이 검증된 사람이 말할지라도 맹신은 금물!

01

책 홍보 마케팅 전략!

책 홍보전략을 통해 꾸준히 개인 SNS 노출 할 책 내용 요약 디자인 작업
(100개 이하), 최소의 비용으로 최대 효과를 낼 수 있는 유튜브 홍보

돈, 시간을 아껴준다.
중요 ★★★★★★★

책 출간 후 중요한 3가지

책 출간 준비 3가지만 하면 끝!

20,000명 상담, 코칭 데이터! 사실 각자마다 기준이 다를 수 있으므로
삼성(진정성, 신뢰성, 전문성)이 검증된 사람이 말할지라도 맹신은 금물!

02

책 분야 전문성 만들기!

책 전문분야 1개월 ~ 6개월 교육할 커리큘럼, 시스템을 만들어 책을 교재로
활용해서 자신 분야 삼성(진정성, 전문성, 신뢰성)을 만들고 강사료를 올리자.

작가 직업, 강사 직업
두 마리 토끼 잡는다.
중요 ★★★★★★★

책 출간 후 중요한 3가지

책 출간 준비 3가지만 하면 끝!

20,000명 상담, 코칭 데이터! 사실 각자마다 기준이 다를 수 있으므로
삼성(진정성, 신뢰성, 전문성)이 검증된 사람이 말할지라도 맹신은 금물!

03

한번 코칭으로 150년 A/S, 관리, 피드백 받을 수 있는 전문가 선택!

대한민국 대부분 코칭 95%가 한번 코칭 하면 끝나고
가장 중요한 관리를 해주지 않는다. 늘 그때뿐인 교육, 코칭이 된다!

돈, 시간을 아껴준다.
중요 ★★★★★★★

책 출간 했는데...그 다음은?

책 출간 후 가장 먼저 해야 할 3가지!

출판계의 로또 기획출판(1000~3000만 원 투자 받음) 아닌 이상 저자가 다 해야 된다.
책 스타트업은 이렇게 시작된다.

처음부터 공들여야해..
이곳 저곳 하나하나

01 책(신생아)키우기

꾸준히 관심, 사랑을
받기 위해 페이지별로
이미지 제작해서
SNS 노출

이 책은 000 입니다!
많이 사랑해주세요!

02 마케팅 하기

책 분야
강의 교안 작업 홍보
이미지 제작
홍보 영상 제작

음.. 여기서 이 정도
연결시켜 소득 지속화!

03 전문성 연결

책 분야 교육, 코칭
커리큘럼, 제안서
전문분야 자격증
만들어 몸값 올리기

스타트업 마케팅 사례

유튜브 홍보, 마케팅 전략사례 1

최소의 비용으로 최대 효과
지속적인 마케팅 사례를 알아보자!
인세 발생, 강의 의뢰, 코칭 의뢰, 전문성 홍보
일반 강사, 작가 보다 차별화 스펙 어필!
5 ~ 10가지 연결고리가 생겨 단타에 끝나지 않고
영상 삭제하기 전까지 지속적 연결된다!(100년)

01 행복히어로 (출간일 2021. 01. 17)

▶ 유튜브 업로드 한번 끝!
▶ 조회 수 : 4,280회 (꾸준히 노출)
▶ 인세 발생, 강의 의뢰, 코칭 의뢰, 전문성 홍보..
▶ 한 번의 영상 제작, 홍보로 10가지 연결고리

유튜브 홍보, 마케팅 전략사례 2

최소의 비용으로 최대 효과
지속적인 마케팅 사례를 알아보자!
인세 발생, 강의 의뢰, 코칭 의뢰, 전문성 홍보
일반 강사, 작가 보다 차별화 스펙 어필!
5 ~ 10가지 연결고리가 생겨 단타에 끝나지 않고
영상 삭제하기 전까지 지속적 연결된다!(100년)

02 나다운 방탄습관블록 (출간일 2021. 06. 07)

▶ 유튜브 업로드 한번 끝
▶ 조회 수 : 14,901회 (꾸준히 노출)
▶ 인세 발생, 강의 의뢰, 코칭 의뢰, 전문성 홍보..
▶ 한 번의 영상 제작, 홍보로 10가지 연결고리

책 출간 스타트업 지원 정책

함께 잘 먹고 잘 살기 위해 지원금 드립니다!

책 쓸 아이템은 없지만 책을 쓰고 싶은데?
책 쓸 아이템 있는데? 어떻게 시작해야 할지 막막하다면?
코칭비, 출간 비용이 부족하다면? 맞춤 상담과 지원금 신청하세요!

책 쓰기 시작 하고 싶은 분 7G 스타트업	지원금 50% 적용해서 반값에 코칭! 기본 1회 5H (2회 ~ 5회 선택가능)
책 출간 0월 0일 예정일 받은 분 계획적 책(신생아) 출산 준비	지원금 50% 적용해서 반값에 코칭! 책 2시간 특강 강의 교안 작업 완성될 때까지, 프로필 사진 페이지별 이미지 작업, 홍보 이미지, 홍보 영상 작업 (샘플 참고)

저자 특강 2시간 강의교안 제작 샘플

책 표지, 책 내용으로 맞춤 디자인 제작, 변경 가능!

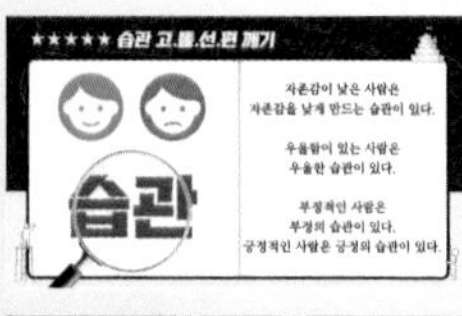

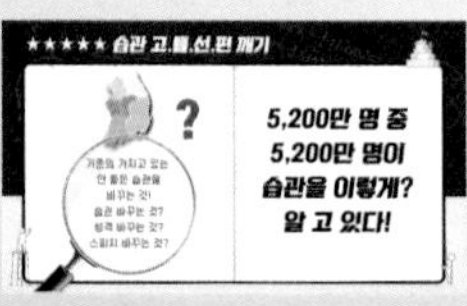

저자 특강 2시간 강의교안 제작 샘플

책 표지, 책 내용으로 맞춤 디자인 제작, 변경 가능!

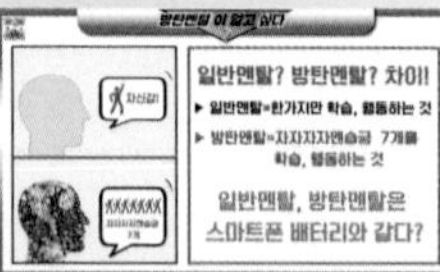

저자 특강 2시간 강의교안 제작 샘플

책 표지, 책 내용으로 맞춤 디자인 제작, 변경 가능!

책 개인 프로필 홍보 이미지 샘플

책 표지, 책 내용으로 맞춤 디자인 제작, 변경 가능!

개인 SNS 홍보! 책 페이지별 이미지 제작 샘플

책 표지, 책 내용으로 맞춤 디자인 제작, 변경 가능!

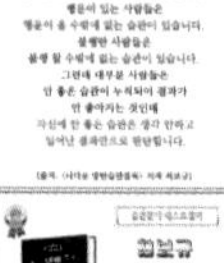

개인 SNS 홍보! 책 페이지별 이미지 제작 샘플

책 표지, 책 내용으로 맞춤 디자인 제작, 변경 가능!

책 표지, 책 내용으로 맞춤 디자인 제작, 변경 가능!

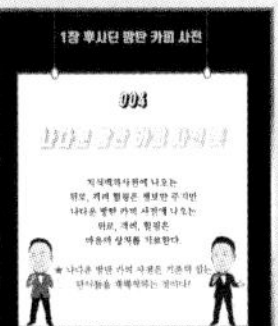

책 표지, 책 내용으로 맞춤 디자인 제작, 변경 가능!

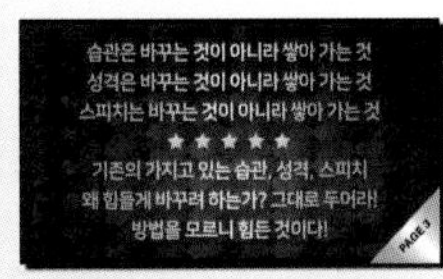

YouTube

책 표지, 책 내용으로 맞춤 디자인 제작, 변경 가능!

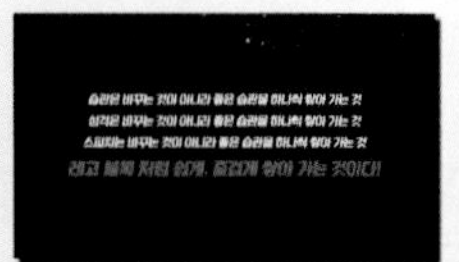

YouTube

책 표지, 책 내용으로 맞춤 디자인 제작, 변경 가능!

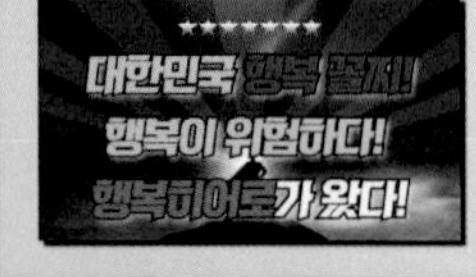

YouTube

책 표지, 책 내용으로 맞춤 디자인 제작, 변경 가능!

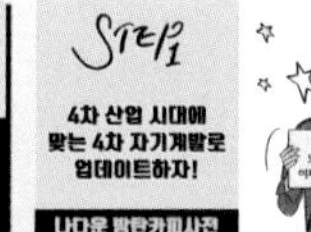

YouTube

책 표지, 책 내용으로 맞춤 디자인 제작, 변경 가능!

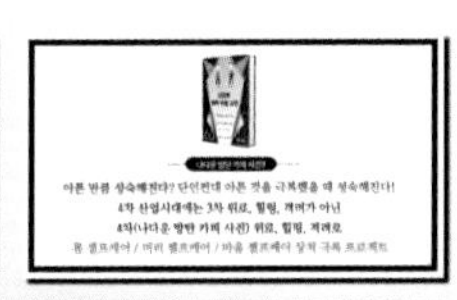

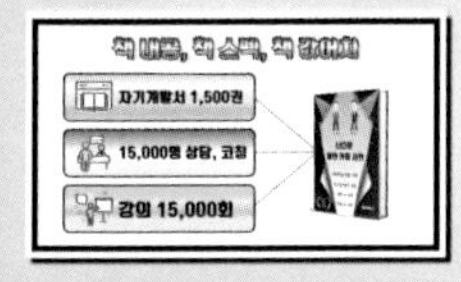

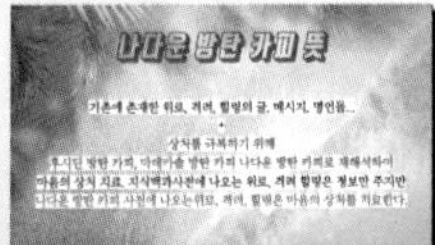

자신 책을
자신이 죽이는
작가?
강사?
최보규 지음
자신 책을 죽이는 강의
체크리스트
책은 죽지 안는다!
다만 책을 죽이는
작가, 강사만 있다!
Google 자기계발아마존
YouTube 방탄자기계발
NAVER 방탄book기술력
NAVER 최보규

자신 책을 죽이는 강의

☑ 체크리스트

☑ 파워포인트 없이 강의를 한다.

☑ 파워포인트내용에 이미지 없이 텍스트만으로 강의한다.

☑ 시작동기부여, 아이스브레이킹, 스토리텔링기법
강의 중간 스트레칭기법, 피크앤드기법...
강의기법을 전혀 하지 않는다.

☑ 트랜드에 맞는 강의를 안 한다.

☑ 교육 담당자, 청중이 좋아하는 강의를 안 한다.

☑ 청중이 좋아하는 3D, 4D 강의가 무엇인지 모른다.

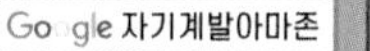

YouTube 방탄자기계발 | NAVER 방탄book기술력 | NAVER 최보규

자신 책을 죽이는 강의

☑ 체크리스트

- ☑ 청중들의 강의 듣는 심리 상황을 모르고 강의한다.
- ☑ 강의에 퍼포먼스가 전혀 없다.
- ☑ 강의 끝난 후 자신 책과 연결고리가 전혀 없다.
- ☑ 1개월~1년 강의할 수 있는 커리큘럼, 교안이 없다.

책 그렇게 쓰면 책 다 죽어!!!
책 출간 후 그렇게 강의하면 책 다 죽어!!!
책 출간 후 그렇게 홍보 하면 책 다 죽어!!!

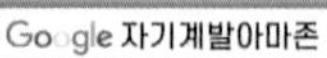

YouTube 방탄자기계발 | NAVER 방탄book기술력 | NAVER 최보규

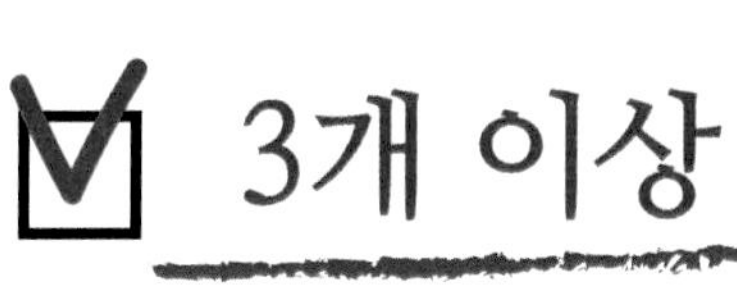

해당 되시는
작가, 강사님 들은
자신 책 심폐소생술
해야 할 상태라는
것 명심하세요!

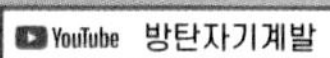

Google 자기계발아마존 | YouTube 방탄자기계발 | NAVER 방탄book기술력 | NAVER 최보규

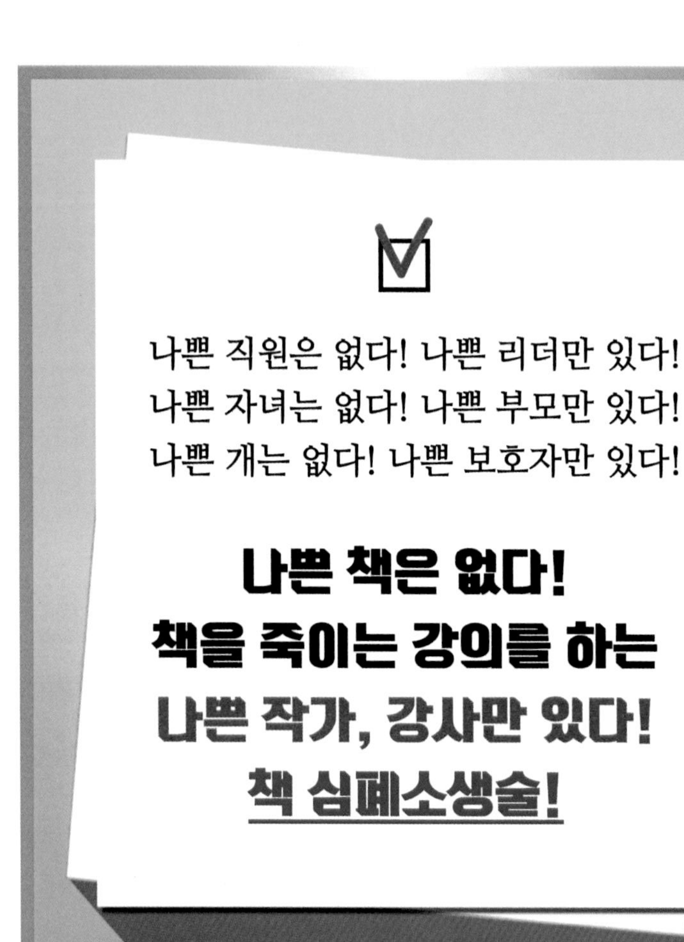

나쁜 직원은 없다! 나쁜 리더만 있다!
나쁜 자녀는 없다! 나쁜 부모만 있다!
나쁜 개는 없다! 나쁜 보호자만 있다!
나쁜 책은 없다!
책을 죽이는 강의를 하는
나쁜 작가, 강사만 있다!
책 심폐소생술!

작가님, 강사님
자신 책 죽이면 되겠습니까?
어떻게 해서 출간 한건데?
세계 최초! 공개합니다!
자신 책을 살리는
강의를 하기 위한
체크리스트
Google 자기계발아마존
YouTube 방탄자기계발
NAVER 방탄book기술력
NAVER 최보규

자신 책을 살리는 강의를 하는

☑ 체크리스트

☑ 시각적인 효과! 파워포인트 원 슬라이드 원 메시지, 원사진 공식을 지킨다!

☑ 가성비강의를 한다! (즐거움+메시지+스토리텔링+감동+실천 동기부여+실천 동기부여 도구)

☑ 강의기법 공식으로 강의한다!
인사스팟-마음을 여는 집중기법-시작 동기부여-스팟기법-스트레칭기법-메시지기법-스토리텔링기법-피크앤드기법

NAVER 방탄book기술력

Google 자기계발아마존 | YouTube 방탄자기계발 | NAVER 방탄book기술력 | NAVER 최보규

자신 책을 살리는 강의를 하는

☑ 체크리스트

☑ 트랜드에 맞는 강의! 교육 담당자, 청중들이 좋아하는 강의, 강의 듣는 청중들의 심리 상태까지 공부해서 강의를 한다.

☑ 강의 끝난 후 간접영업을 할 수 있는 연결고리를 만든다. 유튜브, SNS, 블로그...

☑ 책 내용을 전부 강의 교안으로 만들어 1개월 ~ 1년을 할 수 있는 커리큘럼 제안서로 단타 강의가 아닌 장기적인 강의를 할 수 있도록 준비를 해논다.

NAVER 방탄book기술력

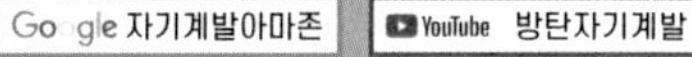

NAVER 방탄book기술력 NAVER 최보규

세상에
자신 책 죽이고 싶어하는
사람은 없습니다.
단지 책을 살리는
방법, 강의기법을 모를뿐이다.
NAVER 방탄book기술력
Google 자기계발아마존
YouTube 방탄자기계발
NAVER 방탄book기술력
NAVER 최보규

책 쓰려는 분! 작가님들! 저서 있는 강사님들!
자신 책 강의 트랜드에 맞는
교안 작업, 트레이닝? 힘드시죠?
담당자, 청중이 좋아하는 교안 작업, 트레이닝 힘드시죠?
강의를 못해서 자신 책, 소중한 책
3대까지 가는 책을 더는 죽이지 마시고 심폐소생술 시작!

책 쓰실 분, 작가님, 저서 있는 강사님들
자신 책 값어치, 강사료 올리고
온라인 콘텐츠 제작으로 수입 발생
자동 시스템을 연결시켜드립니다.

방탄책쓰기 사관학교

방탄책쓰기 자격증

"국가등록 민간자격"

★ 자격증명: 자기계발코칭전문가

★ 등록번호: 2023-003712

★ 주무부처: 교육부

★ 자격증 종류: 모바일 자격증

※ 등록하지 않은 민간자격을 운영하거나 민간자격증을 발급할 때에는 [자격기본법]에 의해 3년 이하의 징역 또는 3천만 원 이하의 벌금에 처해진다.

No. 2023-003712-1

책쓰기코칭전문가

위 사람은 방탄자기계발사관학교에서 시행한 책쓰기코칭전문가 2급, 1급 시험에 합격하였기에 권위와 특권을 부여합니다.

2023년 07월 17일

방탄자기계발사관학교

"국가등록 민간자격증"
★ 자격증명: 책쓰기코칭전문가
★ 등록번호: 2023-003712
★ 주무부처: 교육부
★ 자격증 종류: 모바일 자격증
※ 등록하지 않은 민간자격을 운영하거나 민간자격증을 발급할 때에는
[자격기본법]에 의해 3년 이하의 징역 또는 3천만 원 이하의 벌금에 처해진다.
No 2023-003712-1
책쓰기코칭전문가
위 사람은 방탄자기계발사관학교에서 시행한
책쓰기코칭전문가 1급 시험에
합격하였기에 권위와 특권을 부여합니다.
2023년 07월 17일
방탄자기계발사관학교
회장 서유희 | 대표 최보규

방탄리더사관학교
BULLETPROOF LEADER MILITARY ACADEMY
리더는 누구나 되지만
방탄 리더는 아무나 될 수 없다!
BLMA

1
ONLY ONE
"80억 분의 1 검증된 전문가"
특허청 등록
최보규 자기계발코칭 창시자
등록 번호: 제 40-2072344 호
최보규 대표
상담, PT, 코칭, 강의, 컨설팅 문의
010-6578-8295
특허청 등록
최보규 리더동기부여 코칭전문가
등록 번호: 제 40-2128786 호
대한민국 강사 섭외 NO1 '강사야'
'강사야' "대표 일타 강사 최보규"
GANGSAYA 강사섭외 최보규
로그인 회원가입
전체분야 강사프로필 섭외문의 분야별특강 커뮤니티 추천강사
최보규강사
특허청 등록으로 검증된 강사!
방탄 동기부여/리더십/자기계발
동기부여/리더십/자기계발 업데이트!
저서 100권의 내공을 통한 세계 최초 1+4를 주는 가성비 강사!
(강의메세지+즐거움+스토리텔링+실천 사용 설명서 제공)
Google 자기계발아마존
YouTube 방탄자기계발
NAVER 강사야
NAVER 최보규

방탄자기계발사관학교
홈페이지 무인시스템
구독하기
방탄
자기계발
사관학교
방탄자기계발사관학교
www.방탄자기계발사관학교.com
정예 방탄자기계발 전문가를 양성하는 사관학교
특허청 등록
최보규 자기계발코칭 창시자
등록 번호: 제 40-2072344 호
특허청 등록
최보규 리더동기부여 코칭전문가
등록 번호: 제 40-2128786호
방탄자기계발사관학교
아무나 방탄자기계발전문가가 될 수 있었다면 난
절대로 방탄자기계발사관학교를 선택하지 않았을
것이다.
Google 자기계발아마존
YouTube 방탄자기계발
NAVER 방탄자기계발사관학교
NAVER 최보규

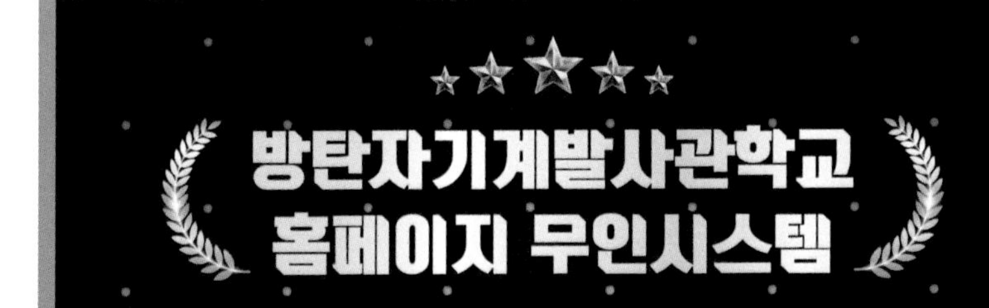

방탄자기계발사관학교 소개
1,000,000원
구매하기

PPT로 책 쓰기, 책 출간
200,000원
구매하기

자신 분야 6가지 수입을 창출 방법
200,000원
구매하기

방탄 사랑 사랑 사용 설명서 사랑도 스펙이다
200,000원
구매하기

Google 자기계발아마존 | YouTube 방탄자기계발 | NAVER 방탄자기계발사관학교 | NAVER 최보규

방 탄
동기부여
명품 동기부여
명품 자기계발
COACHING
책150권 출간
상담 17,000회
코칭 13,000회
강의 경력 6,200회
Google 자기계발아마존
YouTube 방탄자기계발
NAVER 방탄자기계발사관학교
NAVER 최보규
최보규
네이버 인물정보 등록 34만 명! (2016년 기준)
대한민국 1% 미만 "네이버 명예의 전당" 인물정보 등록!
전체
프로필
최근활동
도서
프로필
소속 방탄자기계발사관학교/방탄북(BOOK)출판사(대표)
수상 2016년 제1회 세계를 빛낸 천사상 대상
경력 방탄자기계발사관학교/방탄북(BOOK)출판사 대표
방탄자기계발사관학교 대표
2012.05~2016.06 사랑의전화 전화상담 자원봉사자
2014.11 행복사관학교 대표
사이트 유튜브, 블로그, 네이버TV, 페이스북, 공식홈페이지
작품 ★ 도서 108건, 관련활동

★★★★★ 차별이 아닌 초월 시스템 ★★★★★

타사와 비교불가 초월 혜택!
자신 분야 온라인 건물주가 되어 100년 수입 창출!

Google 자기계발아마존 | YouTube 방탄자기계발 | NAVER 방탄동기부여 | NAVER 최보규

이코노미 PT

기본 5H : 500,000원

CHECK POINT

- ☑ 기본 1회(1일=5H)
- ☑ 6가지 수입 창출 시스템 매뉴얼 설명
- ☑ 150년 A/S

★★★★★ 차별이 아닌 초월 혜택 ★★★★★

Google 자기계발아마존 | YouTube 방탄자기계발 | NAVER 방탄동기부여 | NAVER 최보규

이코노미 PT

기본 5H : 500,000원

- ☑ 150년 A/S (세계 최초)
- ☑ 마스터한 분야 자격증 1종 취득
- ☑ 방탄자기계발사관학교 강사 위촉
- ☑ 방탄자기계발사관학교 마스터 위촉
- ☑ 비지니스 PT 10% 할인 (10만원 상당)
- ☑ 퍼스트클래스 PT 10% 할인 (30만원 상당)
- ☑ 마스터한 분야 실전 2시간 강의 교안 제공. (강사료 200만원 상당)

★★★★★ 차별이 아닌 초월 시스템 ★★★★★

타사와 비교불가 초월 혜택!
자신 분야 온라인 건물주가 되어 100년 수입 창출!

Google 자기계발아마존 | YouTube 방탄자기계발 | NAVER 강사야 | NAVER 최보규

비지니스 PT

기본 5H : 500,000원

CHECK POINT

- ☑ 기본 1회(2~3일=10H)
- ☑ 6가지 수입 창출 시스템 실전 훈련
- ☑ 150년 A/S, 피드백

★★★★★ **차별이 아닌 초월 혜택** ★★★★★

Google 자기계발아마존 | YouTube 방탄자기계발 | NAVER 방탄동기부여 | NAVER 최보규

비지니스 PT

기본 10H : 1,000,000원

- ☑ 150년 A/S, 피드백
- ☑ 마스터한 분야 자격증 1종 취득
- ☑ 방탄자기계발사관학교 전임 강사 위촉
- ☑ 방탄자기계발사관학교 전임 마스터 위촉
- ☑ 퍼스트클래스 PT 10% 할인 (30만원 상당)
- ☑ 강사 맞춤 트레이닝 비대면 1회 제공 (50만원 상당)
- ☑ 마스터한 분야 실전 2시간 강의 교안 제공, 1:1 맞춤 교안 설명 (강사료 200만원 / 1:1 맞춤 100만원 상당)

★★★★★ **차별이 아닌 초월 혜택** ★★★★★

Google 자기계발아마존 | YouTube 방탄자기계발 | NAVER 방탄동기부여 | NAVER 최보규

퍼스트클래스 PT

기본 15H : 3,000,000원~

- ☑ 150년 A/S, 피드백, VIP맞춤 관리
- ☑ 자격증 3종 취득 (150만원 상당)
- ☑ 방탄자기계발사관학교 지회장 위촉
- ☑ 종이책, 전자책 출간 후 네이버 인물 등록
- ☑ 20H, 30H, 40H, 50H PT 20% 할인
- ☑ 강사 맞춤 트레이닝 대면 1회 제공 (50만원 상당)
- ☑ 프로필 유튜브 홍보 영상 제작 (100만원 상당)
- ☑ 마스터한 분야 풀 패키지 (교안 제공, 1:1 맞춤 교안 설명, 청강 1회 제공) (강사료 200만원 / 1:1 맞춤 100만원 / 청강 1회 200만원 상당)

특허청 등록
최보규 자기계발코칭 창시자
등록 번호: 제 40-2072344 호
명품 자기계발
명품 동기부여
차별이 아닌 초월 혜택
Google 자기계발아마존
YouTube 방탄자기계발
NAVER 방탄book
NAVER 최보규
방탄book기술력 전문가 과정 속성 PT
기본 30H : 5,000,000원~
150년 A/S, 피드백, VIP맞춤 관리
자격증 5종 취득 (250만원 상당)
방탄자기계발사관학교 지회장 위촉
종이책, 전자책 출간 후 네이버 인물 등록
20H, 30H, 40H, 50H PT 20% 할인
강사 맞춤 트레이닝 대면 3회 제공 (150만원 상당) / 프로필 유튜브 홍보 영상 제작 (100만원 상당)
방탄book기술력 코칭 전문가 MOU
마스터한 분야 풀 패키지 (교안 제공, 1:1 맞춤 교안 설명, 청강 1회 제공)
(강사료 200만원 / 1:1 맞춤 100만원 / 청강 1회 200만원 상당)

특허청 등록
최보규 자기계발코칭 창시자
등록 번호: 제 40-2072344 호
명품 자기계발
명품 동기부여
차별이 아닌 초월 시스템
타사와 비교불가 초월 혜택!
자신 분야 온라인 건물주가 되어 100년 수입 창출!
Google 자기계발아마존
YouTube 방탄자기계발
NAVER 방탄book
NAVER 최보규
방탄book기술력 전문가 과정 6개월 PT
방 탄
book 기술력
전문가
기본 30H : 10,000,000원~
CHECK POINT
기본 1회(5H) / (5회 ~ 10회 선택 사항)
6가지 수입 창출 자동 시스템 구축
150년 A/S, 피드백, VIP맞춤 관리

특허청 등록
최보규 자기계발코칭 창시자
등록 번호: 제 40-2072344 호
명품 자기계발
명품 동기부여
차별이 아닌 초월 혜택
Google 자기계발아마존
YouTube 방탄자기계발
NAVER 방탄book
NAVER 최보규
방탄book기술력 전문가 과정 6개월 PT
기본 30H : 10,000,000원~
150년 A/S, 피드백, VIP맞춤 관리
자격증 5종 취득 (250만원 상당)
방탄자기계발사관학교 지회장 위촉
종이책, 전자책 출간 후 네이버 인물 등록
20H, 30H, 40H, 50H PT 20% 할인
강사 맞춤 트레이닝 대면 3회 제공 (150만원 상당) / 프로필 유튜브 홍보 영상 제작 (100만원 상당)
방탄book기술력 코칭 전문가 MOU
마스터한 분야 풀 패키지 (교안 제공, 1:1 맞춤 교안 설명, 청강 1회 제공) (강사료 200만원 / 1:1 맞춤 100만원 / 청강 1회 200만원 상당)

CLASS	내용
class 1	자신 분야 연결 6가지 수입 창출 기술력 컨설팅
class 2	자신 분야 삼성(진정성, 전문성, 신뢰성) 향상 책 쓰기, 책 출간 기술력 PT
class 3	자신 전문 분야로 제2수입 창출 기술력 PT
class 4	자신 전문 분야로 제3수입 창출 기술력 PT
class 5	온라인, 디지털 콘텐츠 기획, 제작 기술력 PT (4,5,6 수입 / 100년 지속적인 수입 창출 PT)

최보규 방탄동기부여 전문가
검증된 PT; 강의, 맞춤 코칭, 컨설팅
특허청 등록
최보규 자기계발코칭 창시자
등록 번호: 제 40-2072344 호
최보규 대표
010-6578-8295
특허청 등록
최보규 리더동기부여 코칭전문가
등록 번호: 제 40-2128786 호
방탄자기계발사관학교는 국가등록 민간자격증 발급 기관! 명품 인재 양성 기관!
리더십코칭전문가
동기부여코칭전문가
자기계발코칭전문가
강사코칭전문가
책쓰기코칭전문가
리더 분야
동기부여 분야
자기계발 분야
강의, 강사 분야
책쓰기, 책출간 분야
<저자 최보규>
<저자 최보규>
<저자 최보규>
<저자 최보규>
<저자 최보규>
방탄 리더십
리더 7대의무교육
리더 품위유지의무
리더 은퇴, 재테크
리더 동기부여
리더 스피치
리더 사명감, 인성
리더 기본기, 태도
리더 자존감, 멘탈
리더 습관, 행복
리더 인간관계
인재 양성 매뉴얼
리더 감정컨트롤
리더 스트레스관리
리더 라포형성기법
리더 상담기법
리더 코칭기법
리더 스토리텔링
7대 동기부여
변화,성장동기부여
비전 동기부여
열정 동기부여
사원 동기부여
임원진 동기부여
직급별 동기부여
사랑 동기부여
자존감 동기부여
자신감 동기부여
자기관리 동기부여
자기계발 동기부여
멘탈 동기부여
습관 동기부여
긍정 동기부여
인간관계 동기부여
인재양성 동기부여
행복 동기부여
7대 자기계발
변화,성장자기계발
비전 자기계발
열정 자기계발
사원 자기계발
임원진 자기계발
직급별 자기계발
사랑 자기계발
자존감 자기계발
자신감 자기계발
자기관리 자기계발
자기계발 자기계발
멘탈 자기계발
습관 자기계발
긍정 자기계발
인간관계 자기계발
인재양성 자기계발
행복 자기계발
강사 7대 의무교육
강사 인성, 매너
강사 품위유지의무
강사1~3년 차
강사료 올리기 위한 준비, 스펙 쌓기.
강사4~10년 차
강사료 올리기 의한 준비, 스펙 쌓기.
강사10~20년 차
강사료 올리기 위한 준비, 스펙 쌓기.
강사 스킬UP
강사 트레이닝
강의 스토리텔링 기법
강의 SPOT 기법
강사 양성 매뉴얼
강사 양성 시스템
책 쓰기 동기부여
책 출간 동기부여
작가 품위유지의무
책 쓰기, 책 출간 10G 매뉴얼, 시스템.
100권 출간으로 월세, 연금성 수입 창출전수.
강의 교안으로 책 쓰고 책 출간.
출간한 책으로 강의 교안 작업.
출간한 책으로 온라인, 디지털 콘텐츠 제작.
6가지 수입을 창출 하는 책 쓰기, 책 출간.
100년 지속 할 수 있는 기술력을 배우는 책 쓰기, 책 출간.
Google 자기계발아마존
YouTube 방탄자기계발
NAVER 방탄자기계발사관학교
NAVER 최보규

명품 자기계발
방탄 동기부여
명품 동기부여
방탄동기부여 전문가
www.방탄자기계발사관학교.com
방탄리더 동기부여 1
최보규 대표
상담, 코칭, 강의, 컨설팅 문의
010-6578-8295
어제의 나는 잊어라!
살아온 날로 살아갈 날단정 짓지 말자!
자신을 못 믿겠다면 자신을 믿어주는
최보규 방탄동기부여 전문가를 믿고 시작합시다!
세상, 현실아 덤벼라!
몸, 머리, 마음을
강하게 해드립니다.!
Google 자기계발아마존
YouTube 방탄자기계발
NAVER 방탄동기부여
NAVER 최보규

◈ 참고문헌, 출처

(2020년 8월 11일 앙코르메일)

<고도원의 아침편지>

<담양뉴스>

《방탄 리더 인재양성 1》 최보규, 부크크, 2023

《PPT로 책 출간 1》 최보규, 부크크, 2023

《방탄 리더 책쓰기 1》 최보규, 부크크, 2023

《왓칭》 김상운, 정신세계사, 2016

<유튜브 북토크>

방탄리더사관학교 7

(방탄 리더 인재 양성 사관학교)

발 행 | 2024년 04월 25일
저 자 | 최보규, 서윤희
편 집 | 최보규, 서윤희
디자인 | 최보규, 서윤희
마케팅 | 최보규
펴낸이 | 한건희
펴낸곳 | 주식회사 부크크
출판사등록 | 2014.07.15.(제2014-16호)
주 소 | 서울특별시 금천구 가산디지털1로 119 SK트윈타워 A동 305호
전 화 | 1670-8316
이메일 | info@bookk.co.kr

ISBN | 979-11-410-8158-4

www.bookk.co.kr